D1133009

Bernard Kayser, géographe et professeur d'université, a publié de nombreux ouvrages : *La Renaissance rurale* (Armand Colin, 1990), *L'Europe vue de l'espace* (Solar, 1992), *Ils ont choisi la campagne* (éditions de l'Aube, 1996), *La Méditerranée* (Edisud, 1996)...
Renée Kayser, passionnée de nature et de jardins, sujets auxquels elle a consacré plusieurs livres, a aussi écrit pour la jeunesse : *Copain des bois* (éditions Milan, 1994), *Cabanes et abris* (éditions Milan, 1995), *Copain des jardins* (éditions Milan, 1998)...

Vincent Desplanche a illustré l'ouvrage *Planète eau douce* (Gallimard Jeunesse, 2003). Pour les adultes, il a notamment fait paraître *Les Calanques de Marseille à Cassis* (Gallimard, collection « Carnets Du Littoral », 1999).
Stéphane Girel a publié dans la même collection *La Presqu'île de Saint-Tropez* (1996); il a aussi illustré l'album *L'Homme de paille* (Gallimard Jeunesse, 2002).
Tous deux ont participé à de nombreux guides touristiques.

LA FRANCE
EXPLIQUÉE AUX ENFANTS

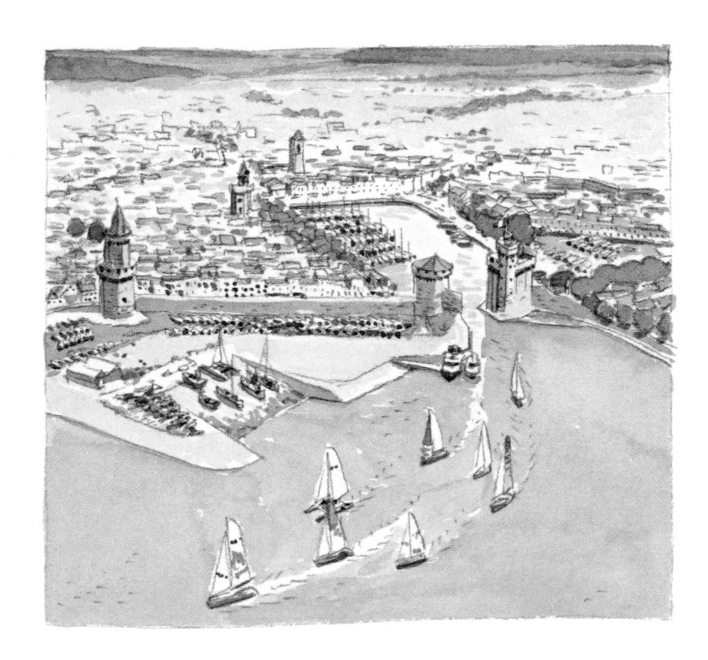

Bernard et Renée Kayser

Illustrations de Vincent Desplanche et Stéphane Girel

Ouvrage publié sous la direction de Anne Blanchard

Sommaire

Petit panorama de l'Hexagone

Des dimensions et des distances équilibrées, une diversité de climats exceptionnelle, des reliefs variant à l'infini ont dessiné les paysages de la France. Cinq grands fleuves arrosent et drainent la presque totalité du pays.

La France dans le monde

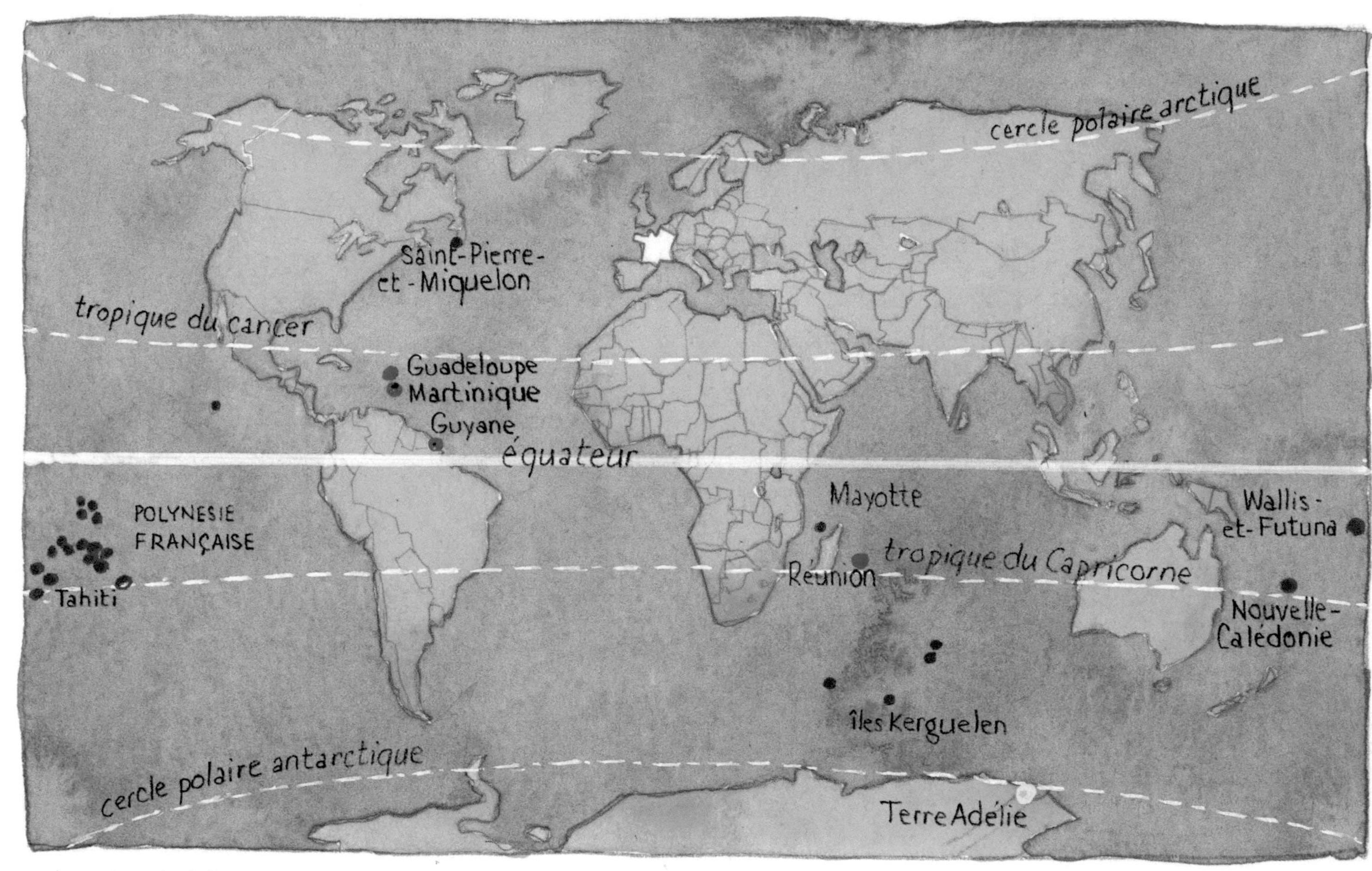

De la métropole à la Martinique et à la Guadeloupe, il y a près de 7000 kilomètres. De la France métropolitaine à la Réunion, il y a plus de 9000 kilomètres, et 18 000 kilomètres séparent l'Hexagone de la Nouvelle-Calédonie.

- départements d'outre-mer, DOM.
- territoires d'outre-mer, TOM.

Les dimensions de la France

Dans ses plus grandes dimensions, la France mesure près d'un millier de kilomètres. C'est peu : il faut à peine plus d'une heure d'avion pour la traverser.

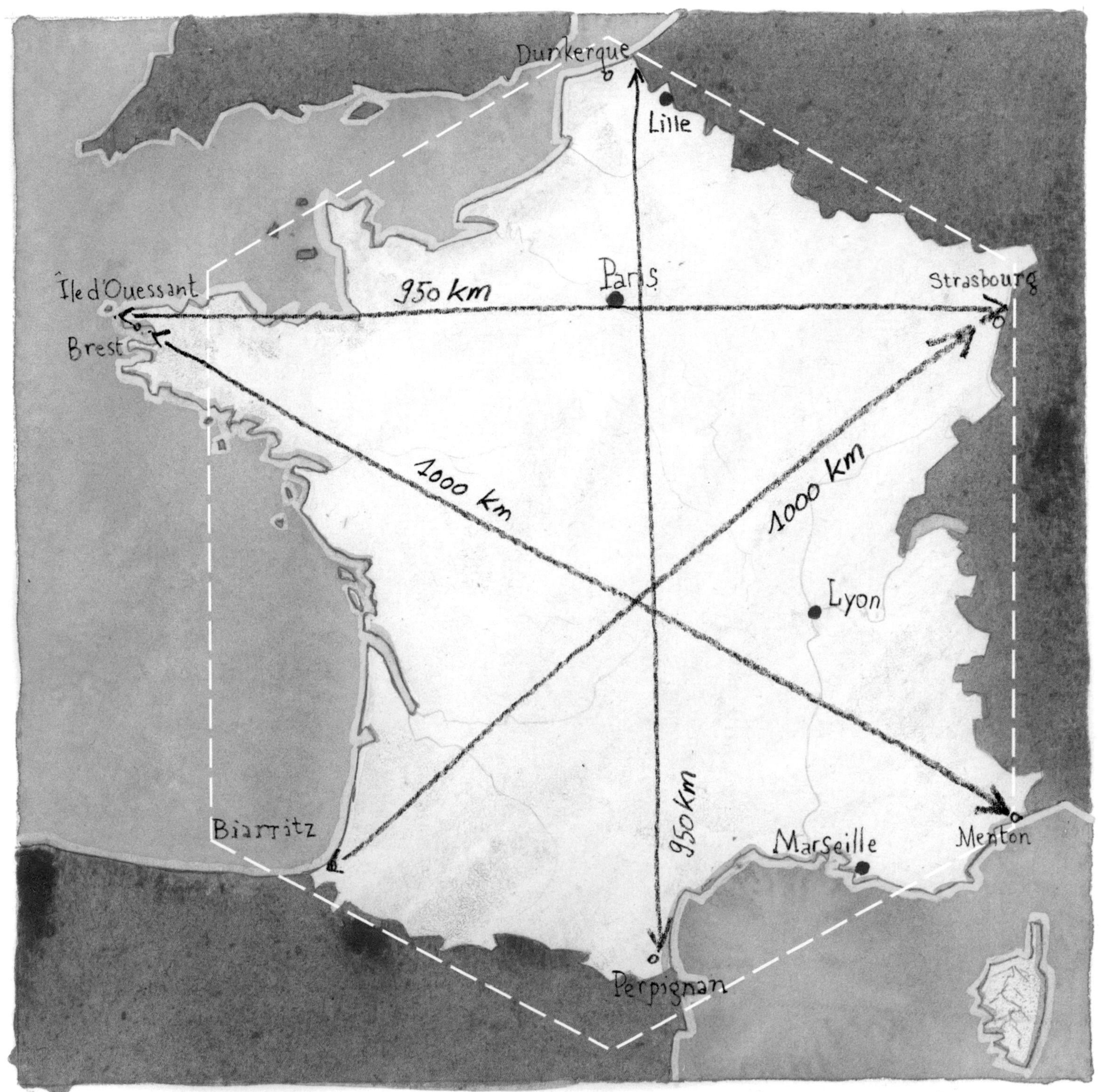

On la surnomme l'Hexagone, à cause de la forme de sa carte : la France (métropolitaine) peut tenir dans un hexagone, une forme géométrique à six côtés.

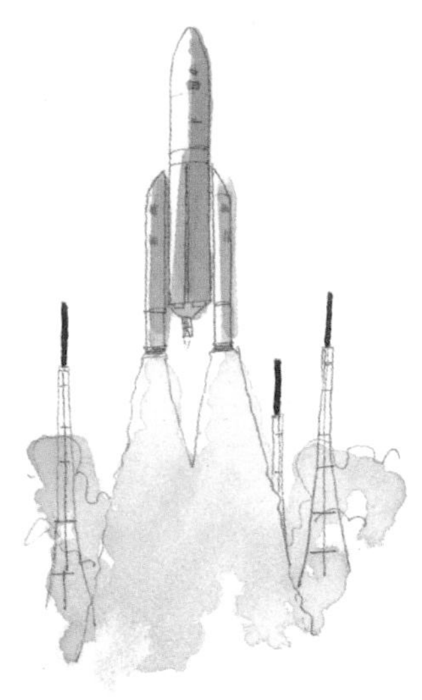

Ariane V est lancée depuis la base de Kourou, en Guyane.

Des distances équilibrées : la France, souvent surnommée « l'Hexagone », a 7 000 kilomètres de côtes, et aucun lieu du pays ne se trouve à plus de 500 kilomètres de la mer. Malgré les montagnes, les deux tiers de la superficie du pays se trouvent à moins de 250 mètres d'altitude.

Adossée à l'Europe, la France « regarde vers le large » : c'est une situation très favorable. Par comparaison avec les pays voisins, la place ne manque pas pour ses 60 millions d'habitants. Mais pourtant trois Français sur quatre habitent dans les villes.

Un grand pays ? Ses habitants pensent vivre dans un grand pays, connu dans le monde entier pour son histoire, ses artistes, sa technologie... Cependant, la France n'est que le 46e État du monde par sa superficie et le 20e par sa population.

Il est vrai que, grâce à ses productions variées, à ses exportations de blé et d'avions, et grâce au bon niveau de vie de la plupart des Français, elle se classe au 4e rang dans l'économie mondiale. Mais, à côté de géants comme les États-Unis, l'Hexagone ne fait pourtant pas le poids !

La France d'outre-mer. De ce qui fut pendant un siècle un immense empire colonial, la France n'a gardé que quelques « départements et territoires d'outre-mer » dispersés dans le monde entier. Ils comptent près de 2 millions d'habitants. Les plus connus sont la Martinique et la Guadeloupe, la Réunion et la Polynésie française. Il ne faut pas oublier non plus les « terres australes et antarctiques », trop froides pour être peuplées, mais qui accueillent des militaires et des scientifiques dans des bases.

Image de la France d'outre-mer : une île tropicale, avec son volcan, son port et sa plage sous les cocotiers

Des climats très variés

Les jours se suivent et ne se ressemblent pas : la France a la chance de se trouver sous un climat d'alternance. Il n'y fait ni trop chaud ni trop froid, ni trop sec ni trop humide, ... avec bien des nuances selon les régions.

Juste à mi-chemin

Entre la zone très froide aux approches du pôle Nord et la zone très chaude qui se développe autour du tropique du Cancer (au niveau du Sahara) s'étend une aire aux températures plus douces. La France se trouve dans cette zone tempérée. Elle jouit d'un bon climat, surtout si on le compare à celui de la Russie ou à celui du Canada.

Crachin et pluie

Les trois domaines. La France subit l'influence de trois masses d'air qui s'affrontent au gré des saisons.

La plus importante est océanique : les eaux tiédies par le Gulf Stream de l'océan Atlantique adoucissent l'atmosphère de la moitié ouest du pays. À l'est, en revanche, l'influence continentale le rattache à l'Europe centrale : d'où le froid de l'hiver. Enfin, au sud, la Méditerranée aux eaux relativement chaudes et le voisinage de l'Afrique du Nord font parvenir l'influence subtropicale (avec ses excès) sur une zone limitée.

Le crachin et l'averse. La pluie ne tombe pas uniformément et, surtout, pas partout de la même façon. Si, en Bretagne, elle est fine et persistante (le crachin), elle peut être brutale et dévastatrice dans le Midi (l'averse orageuse).

Mistral, tramontane, noroît... Dans certaines régions, les vents ont une fréquence et un caractère remarquables.

C'est le cas du mistral (*maistre* : le « maître » !), qui souffle plus de cent jours par an dans la vallée du Rhône. La tramontane qui vient de la montagne, souffle sur le Languedoc. Sur les côtes de l'Atlantique, nés de l'océan, le « noroît » et le « suroît » viennent, comme leurs noms l'indiquent, du nord-ouest et du sud-ouest.

La neige « tient » rarement au sol, sauf en montagne, où elle persiste plusieurs mois. La limite inférieure de l'enneigement hivernal, irrégulier, se situe vers 1 200 mètres : mais, là, on n'est jamais sûr de pouvoir skier. Les grandes stations de sports d'hiver ont préféré s'installer au-delà de 1 800 mètres.

Ligne de crête d'une montagne enneigée

La France bénéficie d'un climat tempéré. Mieux encore, certains endroits bénéficient de microclimats particulièrement agréables. C'est souvent le résultat d'une position d'abri idéale, au pied d'un relief, et d'une bonne exposition au soleil.

À l'extrême sud-est de la France, au bord de la mer Méditerranée et tout près de la frontière italienne, la ville de **Menton** est protégée par de longs versants. Ceux-ci sont souvent cultivés en terrasses. Ici, l'hiver n'est jamais froid : c'est pourquoi la végétation tropicale s'y trouve à l'aise. Les orangers prospèrent et les citronniers sont couverts de fleurs ou de fruits durant toute l'année. Chaque année a lieu à Menton la fête des Citrons.

Parmi les grands vignobles français, c'est celui qui est le plus au nord de notre pays qui donne le vin de **Champagne**, fameux dans le monde entier. Il est produit aux alentours de Reims et d'Épernay : la vigne y est cultivée avec un soin particulier. Les pieds de vigne sont installés sur des talus au sol léger et particulièrement bien ensoleillés, grâce à une exposition au sud-est.

La petite ville de **Céret**, adossée aux derniers contreforts des Pyrénées orientales, face au Canigou, domine un large bassin de vergers et de vignes. C'est là que mûrissent très tôt les premières cerises mises sur le marché en France. Dès le dimanche de Pâques, on commence à les récolter. Et la tradition veut qu'avec le produit de la première cueillette, on orne les oreilles du Christ lors de la procession !
Peut-être adoraient-ils les cerises... Ce sont plus certainement les attraits de la Catalogne, la personnalité de ses habitants et la proximité de la lumineuse Espagne qui ont attiré ici de célèbres peintres. Dans le musée d'Art moderne, ouvert à Céret en 1950, on peut admirer les nombreuses toiles des artistes qui ont séjourné là, parmi lesquels des tableaux de Picasso inondés d'ombre et de soleil.

La Bretagne n'est pas réputée pour son climat. La péninsule bretonne subit en effet de plein fouet la vigoureuse influence de l'océan Atlantique. Il y pleut presque toute l'année, mais les températures sont très douces en hiver. Pourtant, sur la côte nord, non loin de Roscoff, on trouve des zones agricoles très fertiles. Ce sont des étendues de terres basses, sablonneuses et abritées : tout ce qu'il faut pour favoriser la culture des légumes primeurs ! La richesse de son agriculture maraîchère justifie le surnom de « Ceinture dorée » donné aux alentours du village de **Saint-Pol-de-Léon**.

Tempéré vraiment ?

Les « accidents climatiques » et les tempêtes n'épargnent pas notre pays. Par exemple, le 26 décembre 1999, une tempête a saccagé les forêts et arraché le toit des maisons.

Les inondations. Les fleuves, qui noyaient régulièrement les villes, ont été domptés par un système de barrages. Toutefois, on craint encore des crues « centennales », y compris à Paris.

Une rue de Paris lors de la crue de 1910

Les sécheresses, c'est-à-dire la succession de semaines ou de mois sans pluie, peuvent être désastreuses. Les cultures dépérissent, les arbres jaunissent. Comme le niveau des fleuves et des rivières a alors beaucoup baissé, on interdit de pomper l'eau pour l'irrigation ou pour l'arrosage des pelouses.

Les grands froids. De tout temps on a connu des périodes de grands froids. Les personnes âgées se souviennent que, telle année, le gel avait été si fort et si prolongé (– 20 °C pendant des semaines !) que l'on traversait les fleuves à pied sur la glace et que, dans le Midi, les oliviers mouraient. Et beaucoup de personnes perdaient la vie.

L'effet de serre. On a constaté que la concentration des gaz dans l'atmosphère, provoquée par la pollution due à l'activité industrielle et aux voitures, renforçait au-dessus de la terre un rideau de plus en plus dense. Au-dessous, la chaleur, piégée, tend à augmenter. Ce réchauffement peut avoir de grandes conséquences. Que constatera-t-on au cours des cinquante prochaines années ? Que le niveau de la mer monte ? Que les étés sont de plus en plus chauds et que les pluies augmentent ? Peut-être bien.

Embouteillage et pollution...

Tous les reliefs

Toutes les formes de relief, de la plaine à la montagne, de la vallée profonde au plateau aride, sont présentes en France.

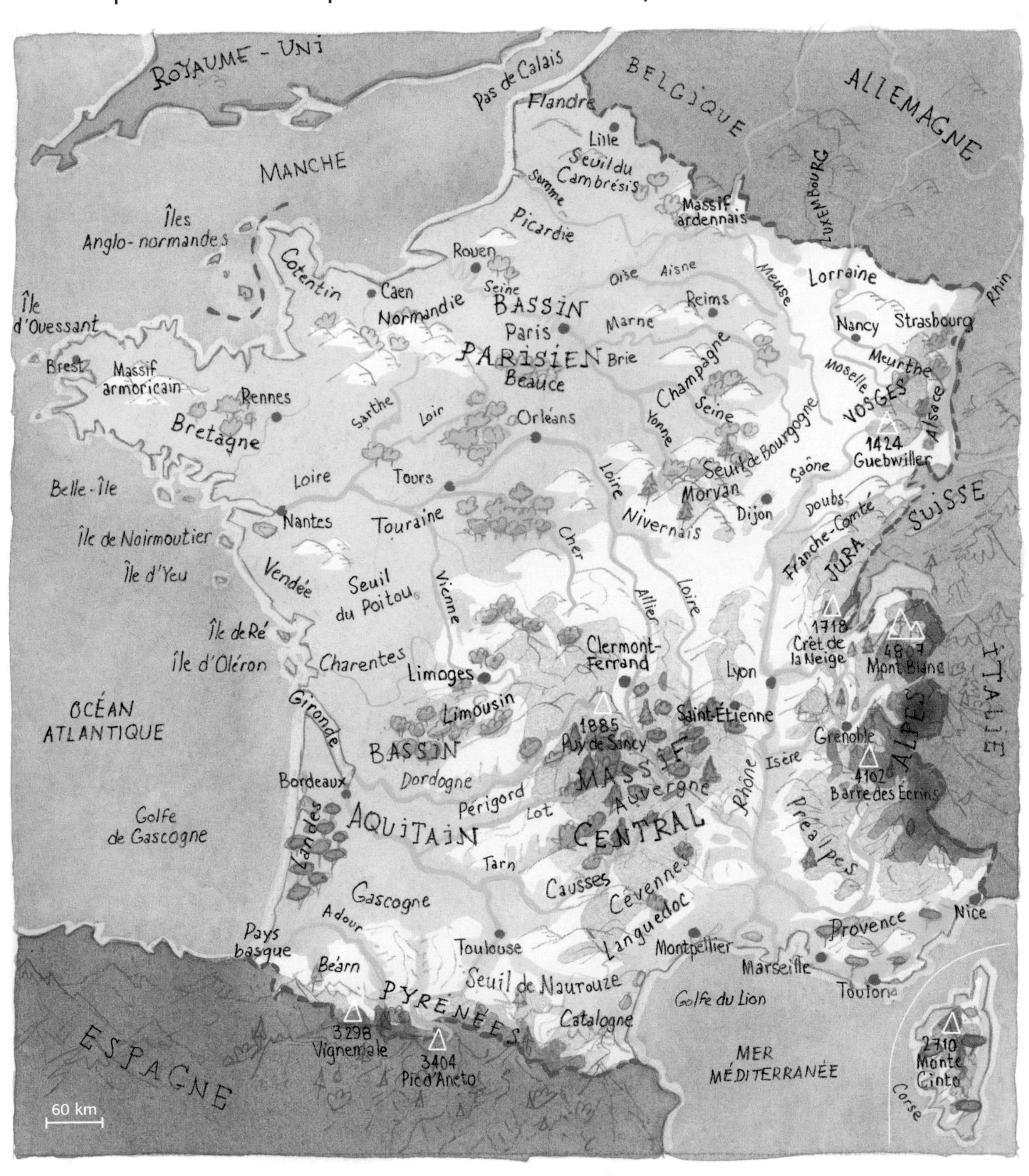

Les plaines

Couvrant les trois quarts du territoire, les plaines s'étalent principalement dans le Bassin parisien et le Bassin aquitain. Elles se situent généralement au-dessous de 250 mètres d'altitude.

Le creux de Paris. Au Moyen Âge, la ville s'est développée au creux d'un bassin où convergent de grandes rivières, affluents de la Seine : l'Yonne, la Marne, l'Oise. Par leurs vallées, Paris communique facilement avec tout le pays et ses ports. Les rois de France l'ont choisie pour capitale : de là, il leur était aisé de contrôler leur territoire. Aujourd'hui, les réseaux du chemin de fer et des autoroutes renforcent le contrôle de Paris sur les régions.

La Beauce et la Brie s'étendent au sud-ouest et au sud-est de Paris. Ces immenses plaines reposent sur des couches de calcaire presque horizontales. Parcourant la Beauce, on aperçoit la cathédrale de Chartres depuis une distance de 18 kilomètres.

Champs de blé en Beauce et cathédrale de Chartres

La richesse de ces plaines cultivées vient de leurs sols. Les rendements des cultures, comme le maïs, sont également très élevés, parce qu'on les arrose abondamment en puisant dans les nappes souterraines et que l'on utilise beaucoup d'engrais. Malheureusement, ils polluent le sous-sol et ses réserves d'eau.

L'immense plaine des Landes longe la bordure de l'océan Atlantique, à l'extrémité sud-ouest du pays. Le sable

Cela était vrai hier comme aujourd'hui : les seuils sont des voies de passage.

prédomine dans ce vaste triangle. Elle est aujourd'hui couverte d'une forêt de pins, plantés au XIXe siècle. Mais à l'état naturel, c'était bien une lande : il n'y avait là aucun arbre, seulement de l'ajonc, de la bruyère et quelques graminées.

Les seuils. Les grandes plaines sont ouvertes : autrefois, les marchands et les envahisseurs y rencontraient peu d'obstacles. Elles communiquent avec les autres régions par des seuils. Ceux-ci ne sont pas de véritables cols, on les franchit sans même s'en apercevoir.

Le seuil du Poitou unit les Bassins parisien et aquitain ; le seuil de Naurouze fait communiquer le Bassin aquitain avec le Languedoc méditerranéen. Le Bassin parisien débouche sur les plaines de la Saône et du Rhône par le seuil de Bourgogne, et sur la plaine de Flandre par le seuil du Cambrésis.

Le canal du Midi relie la Méditerranée à la Garonne, il a été conçu au XVIIe siècle par l'ingénieur Riquet.

Les massifs anciens

On les appelle « massifs anciens », parce qu'ils sont faits de vieilles roches ou de roches cristallines venues des profondeurs de la terre.

La Bretagne, un massif aplati. La Bretagne, c'est, pour l'essentiel, le Massif armoricain. Mais en quoi est-ce donc un massif ? Au plus haut, aux monts d'Arrée, ses collines n'atteignent pas 400 mètres… Il s'agit en fait d'un très ancien massif : l'érosion n'en a presque rien laissé. Les monts, que l'on nomme « *mené* » en breton, ne sont que de lourdes croupes, couvertes de lande d'ajoncs et de bruyères.

Les plateaux sont plats, comme leur nom l'indique, mais creusés par des vallées ou par des gorges.

Au sud de Grenoble, le **Vercors** se dresse à 1 200 mètres d'altitude. C'est une gigantesque citadelle de pierre, entourée de murailles de plusieurs centaines de mètres de haut. Pendant la Seconde Guerre mondiale, les Résistants y ont longtemps tenu les Allemands en échec.
En hiver, de vastes étendues plus ou moins plates sont aujourd'hui le paradis des skieurs de fond.

Parmi les mélancoliques plateaux du Limousin, où paissent des milliers de superbes vaches de race limousine, le plus isolé est le **plateau de Millevaches**. Pour les gens du pays, Millevaches, c'est la montagne. Et en effet, le puy Pendu culmine à près de 1 000 mètres. Le climat est froid et pluvieux : le sol couvert de neige tout l'hiver, est balayé par des vents violents. La lande domine, mais on voit en se promenant sur le plateau, des prairies et des petites forêts d'épicéas.

Sur la bordure sud du Massif central, les **Causses** sont de vastes plateaux calcaires, vers 1 000 mètres d'altitude. Leurs paysages pierreux sont marqués par la sécheresse.
Si les étés y sont brûlants, les hivers se font rudes et neigeux. Les vents violents hantent ces étendues sans obstacles. La pluie s'infiltre dans le sol, entretenant un réseau souterrain de grottes et de galeries.
Quelques rivières ont réussi à se maintenir au fond de coupures impressionnantes : les gorges du Tarn, de la Jonte, de la Dourbie.
Sur ces plateaux arides, l'herbe rase est pourtant suffisante pour nourrir les brebis : leur lait est transformé en fromage dans les fameuses caves de Roquefort.

Les jumeaux de la Côte d'Azur. Au bord de la Côte d'Azur, entre Toulon et Nice, deux petits massifs anciens donnent une impression de montagne. Ce sont les Maures et l'Estérel. À pic sur la mer, leurs sommets « montent » presque à 800 mètres.

Les Maures ont des formes relativement douces tandis que l'Estérel est un ancien volcan en ruines, fait de superbes roches rouges à gros cristaux : les porphyres. Les deux massifs sont couverts de chênes-lièges et surtout de maquis. Malheureusement, ils sont beaucoup trop souvent ravagés par les incendies. Dans l'Estérel, les incendies de l'été 2003 ont, une fois encore, dévasté d'importantes étendues de végétation et mis en danger les habitants.

Côte rocheuse de l'Estérel avec ses pins et ses chênes-lièges

Les Vosges, une vraie montagne : les touristes le savent bien quand ils y pratiquent la marche ou le ski. C'est certes une montagne moyenne par l'altitude, puisqu'elle culmine à 1 424 mètres, au sommet du ballon de Guebwiller. Mais c'est une authentique montagne par son climat : frais l'été, froid et humide la plus grande partie de l'année.

Les Vosges déploient leurs paysages typiques et fameux : les « ballons ». Ce sont des sommets pelés, arrondis, qui émergent de forêts de sapins. La montagne des Vosges est dissymétrique : l'un de ses versants tombe abruptement sur l'Alsace tandis que l'autre descend doucement vers la Lorraine.

Les ballons forment la fameuse « ligne bleue des Vosges » qu'on voit de loin.

Le Massif central : des volcans qui fumaient encore à la préhistoire. Le Massif central est la plus vaste étendue montagneuse de France. C'est d'ailleurs plutôt un immense plateau, surmonté par les volcans d'Auvergne. La chaîne des Puys, qui domine la ville de Clermont-Ferrand, aligne ses volcans sur 30 kilomètres. Ce sont les volcans les plus récents d'Auvergne.

Nos ancêtres préhistoriques ont vu leurs dernières éruptions. Étaient-ils terrorisés ? Et nous, sommes-nous assurés que ces volcans ne se réveilleront pas un jour ? Ils ont en tout cas gardé leur forme de cône, que l'on peut admirer depuis le parc Vulcania, récemment ouvert.

De grandes coulées de lave. Au temps de leur splendeur, les volcans s'élevaient au moins à 3 000 mètres. On trouve parmi eux le Plomb du Cantal, les monts Dore et le puy de Sancy, qui est le plus haut d'Auvergne (1 885 m).

De formidables coulées de lave, épaisses de plusieurs centaines de mètres ont dévalé sur des kilomètres et formé des pla teaux tels que l'Aubrac. Sur cet immense pâturage où l'été paissent les bovins, on fait du ski durant les mois froids.

La chaîne des Puys : les volcans et leurs cratères. Au loin, le Puy de Dôme domine Clermont-Ferrand et la plaine de la Limagne.

Un massif cassé en mille morceaux. Le Massif central a subi un grand basculement et s'est cassé en mille morceaux au moment du soulèvement alpin. Sa partie la plus relevée se trouve dans les régions des Cévennes et du Vivarais. C'est là que le Massif joue son rôle de château d'eau : il alimente les cours d'eau qui suivent sa pente (la Loire et l'Allier vers le nord, le Lot et le Tarn vers l'ouest).

Le Massif central n'est pas formé que de monts et de sommets, mais également de plateaux calcaires comme les Causses. Il y a aussi les plaines : la Limagne, une belle et riche région agricole, ou la plaine minière du Forez. Au début du XXe siècle, autour de la ville de Saint-Étienne, on exploitait encore le charbon.

Les hautes montagnes

Jura, Alpes et Pyrénées sont des montagnes dites « jeunes ». C'est vraiment une façon de parler ! Elles ont des origines aussi lointaines que les massifs anciens. Mais voilà : la vérité, c'est qu'elles ont été sérieusement rajeunies, à plusieurs reprises et très récemment encore.

Rajeunies ? Pour une montagne, rajeunir, c'est être soulevée, portée en hauteur.

Dans le Jura, les couches calcaires empilées se sont plissées au moment du soulèvement alpin.

Les plus hauts sommets, à la frontière suisse, dépassent à peine 1 700 mètres : 1 718 exactement, pour le plus haut, le crêt de la Neige. Même là, les formes ne sont cependant pas très hardies. Les monts, couverts de splendides forêts de sapins, alternent avec les « vaux », c'est-à-dire les creux.

Pendant l'hiver, le Jura est enveloppé de brouillard et de froid, couvert de neige. Malgré ses faibles altitudes, il est le lieu de rendez-vous des skieurs de fond. Les pistes y serpentent à travers les prairies et les sapinières.

Monts couverts de sapins, et val où se nichent un village et des prairies

L'histoire des Alpes remonte à 300 millions d'années. En ce temps-là, la poussée des forces internes de la Terre avait fait surgir de hautes montagnes à la place de ce qui allait ensuite devenir les Vosges, le Massif central... et les Alpes. En quelques dizaines de millions d'années, ces montagnes furent rasées puis recouvertes par la mer. Mais beaucoup plus tard (à l'ère tertiaire), les Alpes futures furent soulevées à nouveau, brutalement. Les massifs anciens, formés des roches cristallines les plus dures s'élevèrent au cœur de la chaîne. Les roches sédimentaires qui s'étaient accumulées au fond des mers se plissèrent à la bordure des hauts massifs : ce furent les Préalpes.

La mer de Glace, dans le massif du Mont-Blanc

Les Alpes, un monde d'aiguilles et d'étendues neigeuses. Les plus hauts sommets, comme le mont Blanc, qui est le plus élevé d'Europe, et les paysages les plus extraordinaires se trouvent dans la chaîne centrale des Alpes.

Les aiguilles, les pics, les pointes de toutes formes ont été taillés dans le granite par l'eau. Celle-ci s'infiltre dans les fissures de la roche que, la nuit, le gel fait éclater. Attention aux chutes de pierres ! Les alpinistes adorent ces parois vertigineuses surgies au-dessus des glaciers : les Drus, les Grandes Jorasses, l'Aiguille verte dans le massif du Mont-Blanc ; la Meije et la barre des Écrins dans le massif de l'Oisans.

Les Alpes du Nord, ce sont également d'immenses étendues blanches, qui font le bonheur des skieurs venus de toute l'Europe. Tout l'hiver et jusqu'au printemps, ils se pressent dans les nombreuses stations qui y ont été installées.

À l'assaut ! De la vallée de Chamonix (à 1 000 mètres) au sommet du Mont-Blanc (4 810 m), la dénivellation atteint presque 4 000 mètres ! Accéder au « toit de l'Europe » ne présente pas de difficulté majeure : la moitié de l'ascension se fait dans le fameux TMB, le tramway du Mont-Blanc, qui monte à 2 400 mètres.

Les glaciers sont une des beautés et une des attractions du paysage chamoniard. On dit qu'ils reculent. Non ! Ils fondent par le bout de leur langue et donc se rétractent. Mais la question se pose, pour eux comme pour bien d'autres glaciers de montagne : vont-ils disparaître avec le réchauffement de la planète ?

Annecy, Chambéry et Grenoble, villes des Préalpes. Les Préalpes, comme leur nom l'indique, bordent la chaîne centrale des Alpes. Ces massifs de moyenne altitude sont formés d'épaisses couches calcaires plissées. Ils sont séparés les uns des autres par de larges trouées, appelées « cluses ».
C'est dans ces cluses que se sont bâties et développées les villes d'Annecy, de Chambéry et de Grenoble.

Lorsque les Alpes du Sud rencontrent la mer. Dans les Alpes du Nord, le vert des forêts et des prairies, le blanc de la neige et des glaciers dominent. Dans les Alpes du Sud, le climat est beaucoup plus chaud, plus sec aussi. Ici, l'ocre de la terre nue contraste avec le violet de la lavande.

Les hautes Alpes atteignent encore 4 000 mètres, mais les altitudes baissent vite jusqu'à la mer Méditerranée. Les Préalpes s'élargissent de la Provence à la Côte d'Azur. Elles sont coupées par une rivière, la Durance, qui va se jeter dans le Rhône.

Les Pyrénées : une frontière pas tout à fait naturelle. La chaîne des Pyrénées s'étend entre l'Atlantique et la Méditerranée sur 420 kilomètres. Elle est partagée inégalement entre la France et l'Espagne. Côté français, elle forme comme une barrière ; côté espagnol, au contraire, elle s'étale.

La frontière ne suit pas exactement la ligne de crête des plus hauts sommets. Elle résulte, en effet, de siècles de guerres et de traités entre les deux pays. D'ailleurs, les Basques, à l'ouest, et les Catalans, à l'est, se répartissent des deux côtés de cette frontière.

Cirque de Gavarnie

Des sommets, des cirques et des gorges. La partie la plus ancienne des Pyrénées, au cœur de la chaîne, est aussi la plus haute. Cette chaîne centrale porte les sommets culminants comme l'Aneto (3 404 m) en Espagne. Le pic de Vignemale, en France, lui fait concurrence avec ses 3 298 mètres.

Les Pyrénées « vivent » encore, en ce sens qu'elles bougent. Les grandes failles provoquées par le mouvement permanent de l'écorce terrestre sont toujours actives : d'où des tremblements de terre, le plus souvent peu perceptibles. Les géologues ont calculé que la chaîne se soulève en moyenne de 8 mm par an. Ce n'est rien ? Il suffit de calculer : cela fait un mètre en cent vingt-cinq ans... et la géologie compte en milliers de siècles ! L'érosion empêche cependant que les Pyrénées atteignent ainsi des altitudes dignes de l'Himalaya, la plus haute montagne du monde (qui culmine à 8 800 mètres).

Sauf sur les sommets les plus hauts, les glaciers ont disparu des Pyrénées. Cependant, ils ont laissé des milliers de lacs et ont taillé de gigantesques cirques.

Un cirque, c'est un demi-cercle de parois escarpées, d'où s'échappe un torrent rassemblant les eaux des cascades. Le plus parfait et le plus célèbre de tous est le cirque de Gavarnie. Les touristes viennent nombreux l'admirer et s'y promener à pied... ou à dos de mulet.

Spectaculaires, elles aussi, les gorges s'inscrivent dans le relief, pour le plus grand bonheur des adeptes du canoë-kayak. Dans les Pyrénées, comme partout dans les gorges de montagne, les « marmites de géants », les à-pics où se précipitent les cascades, et les bassins d'eau calme se succèdent de l'amont vers l'aval.

Les trois Pyrénées.

Les paysages pyrénéens offrent une très grande diversité.

Dans les Pyrénées centrales, sur les sommets où la neige se maintient tard dans la saison, les paysages varient ainsi d'une vallée à l'autre.

Du côté de la Méditerranée, en Catalogne, la montagne tombe brusquement dans la mer. Ses sommets restent encore élevés : ils dominent la Cerdagne et la plaine du Roussillon. Le Canigou, montagne légendaire, est le roi de ce pays catalan.

Côté atlantique, au contraire, on est dans la douceur et l'humidité. Du Béarn au Pays basque, de longs versants font alterner forêts et pelouses.

Collioure, petit port des Pyrénées orientales : ici, la montagne « plonge » dans la Méditerranée.

Les fleuves

Cinq grands fleuves font le bonheur de la France. Les uns sont français de naissance, les autres immigrés et naturalisés. Avec leurs innombrables affluents, ils arrosent la quasi-totalité du pays.

La Loire

C'est le fleuve le plus long : 1 012 km. À sa source dans le Massif central (le mont Gerbier-de-Jonc), il se trouve à 50 kilomètres de la vallée du Rhône. À Orléans, au sommet de sa grande courbe, quand il se détourne du Bassin parisien, il est à 100 kilomètres de Paris. La Loire traverse, avant de se jeter dans l'océan Atlantique, la moitié du territoire français.

Chenonceaux, l'un des plus élégants châteaux de la Loire

Sauvage. On ne peut pas se fier à la Loire. Tantôt, elle se réduit à quelques filets d'eau se cherchant de mouille en mouille. Tantôt, c'est un énorme déferlement qui submerge la vallée. Pour donner une idée de ces variations : on a enregistré 5 m³/seconde à Orléans pendant une grande sécheresse d'été et 8 000 m³/seconde pendant une crue (exceptionnelle) d'hiver. Sauf en juillet-août, aucun mois n'est sûr. La Loire peut devenir dangereuse à tout moment. Il est recommandé de ne pas s'aventurer dans son lit : on s'y perd entre les bancs de sable, les bras secondaires, les fourbes trous d'eau et les marécages.

Abbaye de Saint-Benoît-sur-Loire

Assagie ? Dès le Moyen Âge, on a pourtant cherché à « dompter l'animal ». Les paysans dressèrent des digues pour empêcher les crues de déborder dans la vallée. Malheureusement, faites de terre et de sable, elles résistèrent mal aux assauts du fleuve.

Mais, depuis un siècle, on a renforcé les digues et ouvert des « déversoirs » ; on a aussi construit des barrages pour retenir l'eau. Assagie désormais, la Loire ? Les riverains s'en méfient encore.

Des maisons troglodytiques sont nichées dans les parois calcaires.

Le jardin de la France. Le Val de Loire est riche de son sol fertilisé par les alluvions du fleuve, de son climat doux et lumineux. Les rois et les nobles ne s'y étaient pas trompés. Ils y faisaient de longs séjours dans leurs châteaux : pas des châteaux forts lourds et froids, mais des châteaux de plaisir, construits à la mode italienne à la Renaissance. Dans les forêts proches, le gibier, réservé aux seigneurs, foisonnait. Une cinquantaine de ces châteaux se succèdent dans la vallée, entre Orléans et Angers. Pas au bord du fleuve, bien sûr, trop dangereux, mais à l'abri sur les coteaux ou près des affluents plus sages.

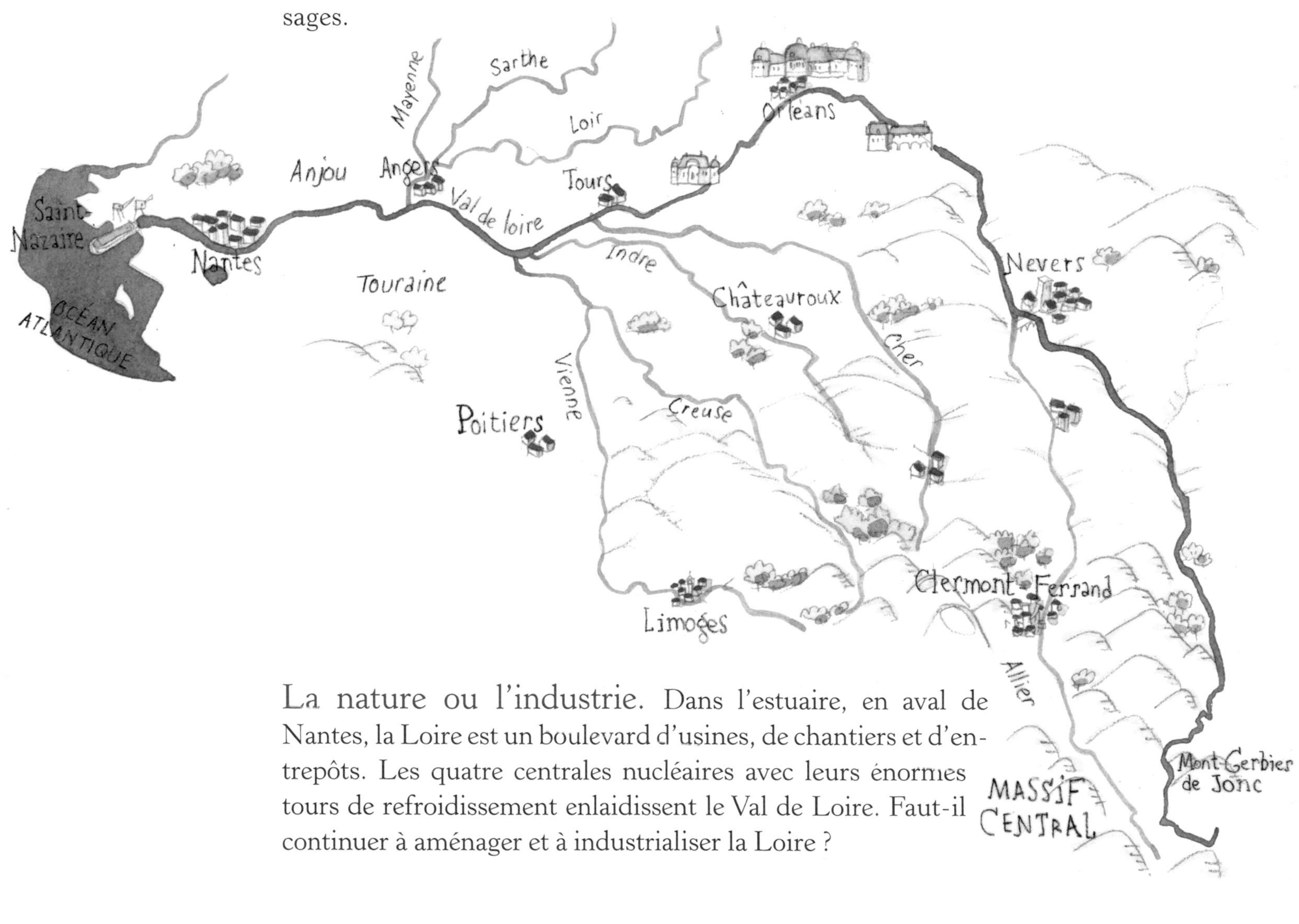

La nature ou l'industrie. Dans l'estuaire, en aval de Nantes, la Loire est un boulevard d'usines, de chantiers et d'entrepôts. Les quatre centrales nucléaires avec leurs énormes tours de refroidissement enlaidissent le Val de Loire. Faut-il continuer à aménager et à industrialiser la Loire ?

Le Rhin

Pour les Français, le Rhin est un fleuve qui, en Alsace, sépare la France de l'Allemagne. On dit qu'il constitue une « frontière naturelle ». Pas du tout ! Le Rhin fut, pendant des siècles, un fleuve germanique et une voie de passage plutôt qu'une barrière. D'ailleurs le Rhin, fleuve international, n'est français, et à moitié, que sur 150 kilomètres.

Long de 1 320 kilomètres, de la Suisse à la mer du Nord, le Rhin traverse des pays et des paysages variés. Il prend sa source dans les glaciers du centre des Alpes (comme le Rhône tout proche). Tous deux sont d'abord de fougueux torrents. Puis le Rhin part vers l'est et le nord, jusqu'au lac de Constance, à la frontière autrichienne. En Allemagne, il traverse en gorges le massif schisteux rhénan, paysage de légendes romantiques. Aux Pays-Bas, il disperse ses bras dans un immense delta. Il est navigable toute l'année sur 850 kilomètres.

«Rhein, Rhin, Rijn»... Le Rhin est la première voie navigable européenne. Il met en relation l'Europe occidentale, ouverte sur les mers, avec l'Europe centrale. Déjà au Moyen Âge, il servait au transport des marchandises. Mais il a bien fallu décider qui allait contrôler le trafic sur le Rhin. Au XIXe siècle, on déclara que la navigation serait désormais libre, sans douanes ni péages. Une commission internationale, qui siège à Strasbourg, en organise le trafic. Elle a aussi affaire avec la lutte contre la pollution, qui ne connaît pas les frontières.

« Au naturel ». Sans aménagement, le Rhin serait en Alsace un torrent tumultueux. Avec ses multiples bras instables, il formait jadis un obstacle de plusieurs kilomètres de large, avant que plus d'un siècle de travaux ne le régularisent. Mais il reste encore des traces de son état naturel.

Les « îles » du Rhin, entre les bras, sont couvertes d'une épaisse forêt, la « *hardt* ». Entre l'Ill, un affluent parallèle qui serpente au pied des Vosges, et le fleuve, des marais inondables jalonnent la plaine : c'est le « *ried* ». Ces secteurs sauvages sont jalousement surveillés par les écologistes et les chasseurs : pour la protection de leurs orchidées, de leurs hiboux, de leurs daims...

Une barge porte-conteneurs poussée par un automoteur

Le Rhin dans son nouveau lit. Afin de mater le fleuve et de le maintenir dans son lit, on a d'abord construit des digues. Puis on a recreusé un lit, formant un chenal accessible à tous les bateaux.

Des travaux gigantesques ont ainsi bouleversé le paysage : dix grands barrages ont été édifiés en Alsace. Chacun de ces barrages alimente une usine hydroélectrique.

Les « canaux de dérivation », avec leurs écluses, forment le Grand Canal d'Alsace, une magnifique voie d'eau où circulent les péniches et les « pousseurs » de toutes nationalités. Aucun doute, le Rhin, c'est l'Europe !

La Garonne

Au centre du Bassin aquitain, le fleuve occupe une sorte de gouttière formée par un creux entre le Massif central et les coteaux de Gascogne. La Garonne unit deux capitales, souvent rivales : Toulouse et Bordeaux.

Elle a choisi la France. Parmi les innombrables torrents qui prennent leur source dans les Pyrénées, l'un d'entre eux connaît un destin singulier. Issu des glaciers de la Maladeta en Espagne, il se perd dans un gouffre : le Trou du toro. Que lui arrive-t-il dans son parcours souterrain ?

Depuis les berges, on aperçoit la richesse de l'architecture de Toulouse.

Au lieu de suivre la pente naturelle vers l'Espagne, ce torrent se faufile dans les cavités, passe sous la montagne frontalière, puis surgit côté français. Mais longtemps on s'est demandé si c'était bien le même.

Norbert Casteret, un grand spéléologue, l'a démontré en versant de la poudre verte dans le Trou du toro : l'eau est ressortie teintée dans la vallée, côté France. La Garonne est donc française. C'est le fleuve le plus court du pays (575 km), mais non le moins abondant.

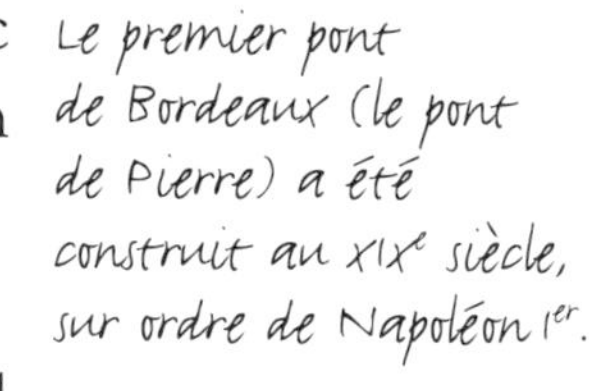

Le premier pont de Bordeaux (le pont de Pierre) a été construit au XIXe siècle, sur ordre de Napoléon Ier.

La grande courbe. Partant vers l'est, la Garonne aurait pu se frayer un chemin vers la proche Méditerranée. Mais non, elle se courbe et se dirige vers le lointain océan Atlantique. Au sommet de sa courbe se trouve Toulouse.

À partir de là, grâce à ses affluents, la Garonne devient un fleuve puissant, quoique capricieux. Sur sa rive droite, elle reçoit de longues rivières qui lui apportent l'eau abondante du Massif central : le Tarn et l'Aveyron, le Lot et la Dordogne. Celle-ci s'unit à la Garonne pour former l'immense estuaire de la Gironde.

«Que d'eau, que d'eau !» Cette exclamation, pas très maline, d'un président de la République visitant la vallée, lors d'une inondation catastrophique, est restée légendaire... Il est vrai qu'à Agen, le fleuve était monté de 9 mètres et que l'on ne voyait plus, de part et d'autre de son lit, qu'un océan d'eaux boueuses.

Aujourd'hui, même si elle connaît encore, çà et là, quelques débordements, la Garonne est moins redoutable. Des barrages

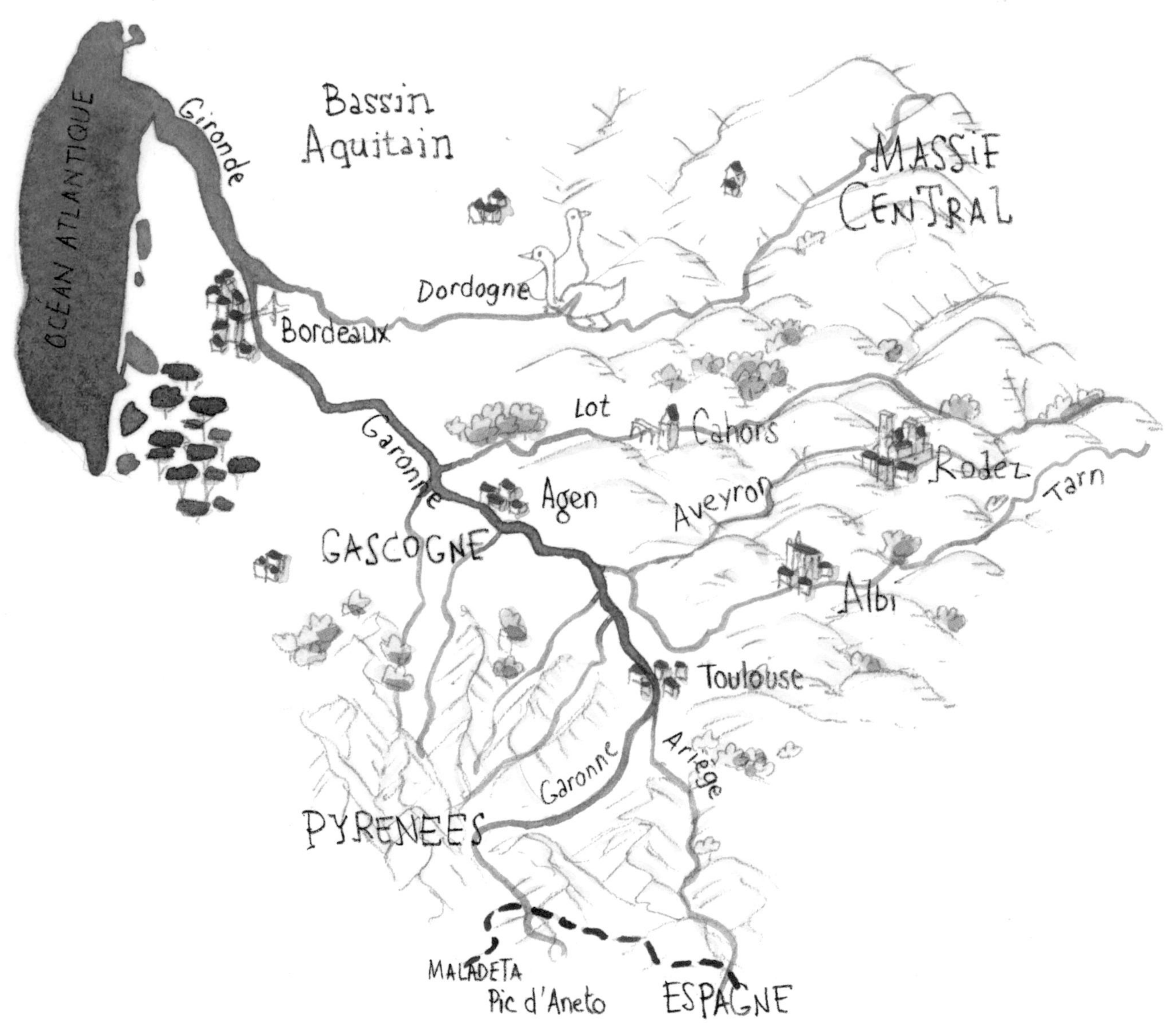

hydroélectriques et des lacs de retenue permettent désormais de limiter, non les crues, qui sont un phénomène naturel, mais les inondations les plus graves.

Les pigeonniers sont nombreux dans le Lauragais comme dans toute la plaine d'Aquitaine.

Les soifs d'été : la saison est très sèche dans sa vallée, et le débit du fleuve s'en ressent. Cela ne serait pas grave (on n'y navigue plus) si les besoins en eau étaient satisfaits. Mais on est souvent loin du compte. La croissance des populations urbaines, le développement de l'industrie et la modernisation de l'agriculture ont augmenté la consommation d'eau.

L'alimentation des villes en eau potable est assurée par pompage dans la Garonne. Quant à l'agriculture, elle en use à mesure de l'extension des champs de maïs. Pendant les sécheresses, on doit parfois restreindre la consommation.

La Seine

Le plus connu des fleuves français est l'un des plus courts et des moins abondants. Mais c'est le fleuve de Paris : l'emblème de la ville est d'ailleurs un bateau. Traversant paresseusement la campagne en amont de la capitale, la Seine devient une grande artère en aval.

Des affluents qui font de la rivière un fleuve.

La Seine prend sa source en Bourgogne à 471 mètres d'altitude. La municipalité parisienne a fait de cette modeste source un monument, avec grotte artificielle et statue ! Il fallait bien honorer celle sans laquelle Paris ne serait pas ce qu'elle est.
La Seine, d'abord petite rivière, ne devient un fleuve qu'après avoir reçu un généreux affluent : l'Yonne. Elle bénéficie ensuite des apports de grands cours d'eau comme l'Aube, la Marne et l'Oise. Elle draine alors un vaste bassin de plaines et de plateaux.

De nombreuses crues.

La Seine et ses affluents sont alimentés par les pluies venant de l'océan. Celles-ci sont très abondantes en hiver.

Autrefois, les quartiers les plus bas des villes riveraines de la Seine vivaient une inondation presque chaque année. Mais aujourd'hui les débordements sont limités grâce aux lacs de retenue créés sur l'Yonne, l'Aube, la Marne et la Seine elle-même, près de Troyes.

Toutefois, on continue de craindre une crue exceptionnelle comme celle de 1910, qui a noyé de nombreux quartiers de la capitale.

«Paris-sur-Seine». Paris est né de la Seine, ou plus exactement des reliefs sculptés par le fleuve : les îles, parmi lesquelles l'île de la Cité est le véritable berceau de la ville ; les plaines souvent marécageuses parcourues par les méandres ; les coteaux dominant la vallée. La ville, au cours de son histoire millénaire, a su tirer profit de cette diversité du relief.

Les palais et les monuments se reflètent tout au long d'une traversée triomphale sur les eaux de la Seine, même si celles-ci sont polluées. Les quais, entièrement construits, étaient de superbes lieux de promenade... avant qu'ils ne soient envahis par la circulation automobile.

L'île de la Cité et Notre-Dame

Se baigner dans la Seine ? Un maire de Paris avait déclaré, il y a quelques années, qu'il pourrait « prochainement » se baigner dans la Seine. Il ne l'a pas fait. Malgré de réels progrès, la Seine reste en effet polluée : pollution chimique par les rejets de l'industrie, pollution thermique par le réchauffement de l'eau utilisée par les centrales électriques, pollution biologique par le rejet des eaux usées, même retraitées.

À la sortie de l'agglomération parisienne, on observe que la Seine charrie autant d'eau d'égoûts (heureusement nettoyée) que d'eau du fleuve. Mais les systèmes d'épuration sont désormais si performants qu'ils permettent d'approvisionner en eau potable les villes riveraines.

La Seine industrielle : le port autonome de Paris est le premier du réseau fluvial national pour son trafic de marchandises. Relié aux grands ports maritimes de Rouen et du Havre, il commande la voie navigable la plus active de France. Entre Rouen et la mer, sur 125 km, la « basse Seine » est une immense zone industrielle. À l'extrémité de l'estuaire, Le Havre accueille, avec son avant-port artificiel Antifer, des super-pétroliers et des porte-conteneurs. En amont, Rouen n'est accessible qu'aux cargos moyens. Entre les deux, la vallée de la Seine est jalonnée de raffineries de pétrole et d'usines chimiques.

Le Rhône

Le plus puissant des fleuves français coule dans une vallée à l'activité intense. Il est à la fois une voie de transport, un producteur d'énergie, un distributeur d'eau pour l'irrigation des cultures.

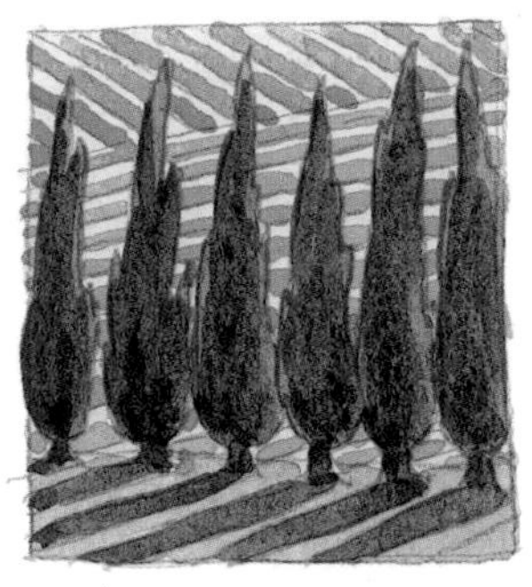
Les haies de cyprès protègent les cultures du Mistral.

Fleuve des montagnes, le Rhône prend sa source dans les Alpes suisses. C'est un torrent sur près de 300 kilomètres. Avant d'arriver en France, il traverse le lac Léman. Encore fougueux, il passe la montagne dans des gorges profondes.

À Lyon, il change de direction. Et c'est presque tout droit, qu'il s'écoule du nord au sud dans le sillon séparant les Alpes du Massif central. Après 812 kilomètres de course, il se jette dans la Méditerranée.

Un lit toujours plein. La neige et la glace qui fondent en été, les pluies aux autres saisons et ses puissants affluents font que le lit du Rhône est toujours plein. À son embouchure, il « roule » trois fois plus d'eau que la Seine.

Son affluent le plus important est la Saône qui le rejoint à Lyon. Abondante et tranquille, elle prolonge vers le nord le couloir de navigation. Des Alpes lui arrivent l'Isère, la Drôme et la provençale Durance. Du Massif central descendent, à travers des gorges chères aux touristes, l'Ardèche et le Gard aux régimes fantasques.

À l'approche de la mer, le Rhône se divise en plusieurs bras. Le « Grand Rhône » et le « Petit Rhône » enserrent la Camargue, une magnifique étendue marécageuse où se mêlent la terre et la mer, l'eau douce et l'eau salée.

Castor

Des îlots préservés. Tout au long de la vallée, le fleuve a conservé des îlots qui ont échappé au béton. Autour de certains bras, il est interdit de construire, de camper ou de chasser.

Les espèces semi-aquatiques abondent : le castor, qui est chez lui, et le ragondin, qui est venu d'Amérique, prolifèrent. Les grands hérons cendrés, les martins-pêcheurs, les milans, tous protégés, sont de plus en plus nombreux sur les berges. Sans compter les poissons.

Aller en bateau. Jadis les routes étaient mal entretenues et le train n'existait pas : on voyageait en bateau. Pour aller de Lyon à Marseille et pour transporter des marchandises, des bateaux à fond plat étaient tirés depuis un chemin de halage par des hommes, des chevaux ou des bœufs. Les bateaux s'équipèrent ensuite de moteurs à vapeur, mais le train, puis les camions, leur firent une concurrence mortelle. Avec ses aménagements modernes, la voie navigable est redevenue très active. Bateaux autopropulsés et convois entraînés par des pousseurs transportent des milliers de tonnes de la mer Méditerranée jusqu'à Lyon et au-delà.

Des kilowatts par millions : la puissance du Rhône est transformée en électricité par un système de barrages et de chutes équipées de turbines. Il a fallu pour cela construire 27 barrages, 22 usines hydroélectriques, 106 kilomètres de canaux de dérivation et 17 écluses. Et ce n'est pas tout ! Six centrales nucléaires ont été installées au bord du fleuve. L'eau prise dans le Rhône refroidit la vapeur qui sort des turbines. Avant de lui être rendue, elle réchauffe en passant des serres de cultures maraîchères et florales et même une ferme de crocodiles !

La vallée du Rhône est le principal axe de circulation français : on voit la voie fluviale, l'autoroute, la RN7, le TGV, sans compter les centrales nucléaires et les lignes à haute tension !

Un couloir de villes. Le long de la Saône et du Rhône est jalonné de villes anciennes, qui sont le plus souvent d'origine romaine : Mâcon, Châlon et Dijon au Nord ; Lyon, deuxième ville de France, Valence, Avignon au Sud. Ces villes tissent le plus grand axe de circulation du pays. Celui-ci met en relation l'Europe du Nord et Paris avec le bord de la Méditerranée. Et, chaque été, au moment des vacances, il est emprunté par des touristes de toute l'Europe.

Les ports d'estuaire

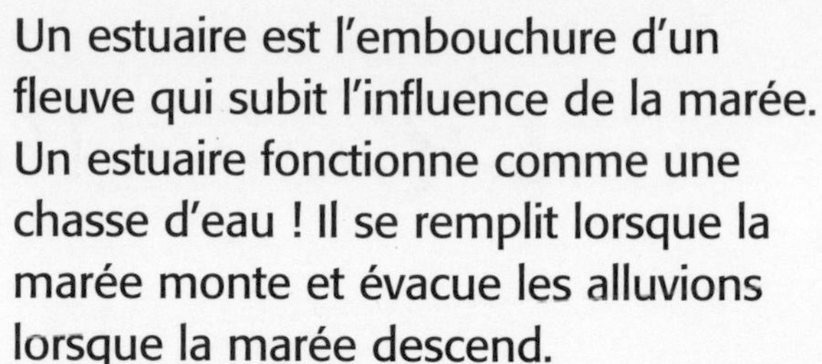

Un estuaire est l'embouchure d'un fleuve qui subit l'influence de la marée. Un estuaire fonctionne comme une chasse d'eau ! Il se remplit lorsque la marée monte et évacue les alluvions lorsque la marée descend.

Rouen, comme Nantes et comme Bordeaux, est un port de fond d'estuaire. Au temps de la marine à voile, les bateaux de haute mer remontaient la Seine sans difficulté. À présent seuls les petits cargos parviennent à Rouen : encore faut-il draguer sans cesse les fonds envasés. De grands ponts suspendus ont été construits, en aval, à l'embouchure, tel le majestueux **pont de Normandie**.

Le **pont de Saint-Nazaire**, situé à l'embouchure de la Loire, permet d'aller d'une rive à l'autre de l'estuaire. Le port de Saint-Nazaire a été construit au XIXe siècle lorsque les bateaux à vapeur ont remplacé les bateaux à voile. Dans les chantiers navals de la ville, après de dures années de crise, on construit aujourd'hui de superbes bateaux de croisière.

Bordeaux, lovée au fond de l'**estuaire de la Gironde**, ne reçoit plus guère de navires de marchandises le long de ses quais. L'exportation de vins de Bordeaux a enrichi la ville, de même que, jusqu'au XVIIIe siècle, le commerce des esclaves africains, qui était également pratiqué par les propriétaires de bâteaux de Nantes. Désormais, ce sont les avant-ports de la Gironde, comme le Verdon, qui accueillent les bâtiments de haute mer chargés de pétrole ou d'engrais, par exemple.

Découvrir la forêt, la montagne, les marais, le littoral

Les roches, le relief, le climat, les eaux se sont combinés pour créer des milieux naturels que l'agriculture, l'industrie et l'extension des villes ont peu à peu transformés. Il reste cependant des coins de nature, que l'on peut classer ainsi : la forêt, la montagne, les milieux humides tels que les marais, et le littoral.

La forêt

Depuis cent ans, la forêt n'a cessé de s'étendre. Elle occupe aujourd'hui plus d'un quart du territoire national.

Longtemps surexploitée

Pendant des siècles, la forêt restée à l'état sauvage, était attaquée de toutes parts.

La forêt d'Astérix. Pénétrant en Gaule, Jules César et ses armées progressèrent difficilement à travers les forêts, où les Gaulois se cachaient et tendaient des embuscades.

Ils étaient à l'aise dans ce milieu qui leur fournissait tout : du bois pour la construction et les forges, des fruits sauvages, des champignons et du gibier. C'est pour cela que même leur religion était forestière : les druides vénéraient les chênes et le gui qu'ils portaient parfois.

Sous l'Ancien Régime, on a sauvé la forêt : la marine royale avait besoin de mâts !

Malmenée. Au Moyen Âge, on continua à gaspiller les ressources de la forêt, au fur et à mesure que la population augmentait. Pour agrandir leurs domaines, les seigneurs et les moines la faisaient défricher par les paysans.

Ceux-ci menaient leurs bêtes dans les sous-bois, coupant les arbres pour que l'herbe pousse mieux. Les forêts étaient surexploitées. Seules quelques forêts seigneuriales et royales étaient préservées pour la chasse.

Défrichement d'une forêt au Moyen Âge par les moines

Enfin, un peu d'ordre : au XVIIe siècle, Louis XIV chargea Colbert de remettre la forêt en état. Celui-ci édicta des mesures pour reconstituer et protéger les grands massifs forestiers. Il pensait, lui aussi, aux besoins de la marine.

Et, en prévision de l'avenir, on sema des glands et on éleva des chênes destinés à servir… deux cents ans plus tard. Ainsi a été sauvée une grande partie du patrimoine forestier français.

Le domaine de la peur… Les forêts françaises restèrent, jusqu'au XIXe siècle, assez impénétrables pour abriter loups et brigands. La nuit venue, les loups, qui chassaient en meute, faisaient entendre leurs hurlements. Mais les voyageurs en avaient moins peur que des brigands de grand chemin qui rançonnaient et assassinaient sans pitié.

Feuillus et conifères de nos forêts

Aujourd'hui en grande forme

La forêt française est désormais cultivée, et s'étend grâce à des reboisements. Les coupes et les plantations y sont effectuées suivant un plan précis.

À qui, la forêt ? Elle semble n'appartenir à personne. En réalité, les forêts privées représentent près des 3/4 de la surface forestière. Quelque 1 500 forêts domaniales appartiennent néanmoins à l'État, tandis que les milliers de forêts communales relèvent des mairies : domaniales ou communales, toutes sont des forêts publiques. C'est l'Office national des forêts (ONF) qui s'en occupe.

Les techniciens de l'ONF élèvent les petits arbres en pépinières et les plantent. Ce sont eux qui décident où et quand il faut faire des coupes de bois. Ils veillent aussi à la faune sauvage, à la chasse, à la création et à l'entretien des routes et des pistes. Ils balisent les chemins pour les promeneurs.

Pins Laricio

Bouleaux et hêtres

Feuillus et résineux : c'est avec ces deux grandes catégories que l'on distingue les arbres de la forêt. Les feuillus ont des feuilles caduques, c'est-à-dire qui tombent chaque année en automne. Les résineux, appelés aussi conifères (leurs fruits, tels les « pommes de pin », sont des cônes) ont des feuilles en forme d'aiguilles persistantes... tout au long de l'année.

La plupart de nos forêts sont composées de feuillus : diverses espèces de chênes, des hêtres, des charmes, des châtaigniers.

Les résineux sont utilisés depuis longtemps pour les reboisements : pins sylvestres, pins maritimes, sapins et épicéas. Ils poussent deux fois plus vite que les feuillus ; mais sont moins résistants aux parasites et aux tempêtes.

Futaie

Taillis

Futaies et taillis. Comme tous nos paysages, les forêts sont très variées. Dans les futaies, les «fûts», c'est-à-dire les troncs, sont droits et élancés, bien séparés les uns des autres. Quand ils atteignent 20 mètres de haut, ils sont bons à abattre. On les remplace aussitôt. Le taillis, au contraire, est désordonné. Plusieurs tiges s'élèvent à partir des souches et les arbres ne deviennent ni grands ni gros.

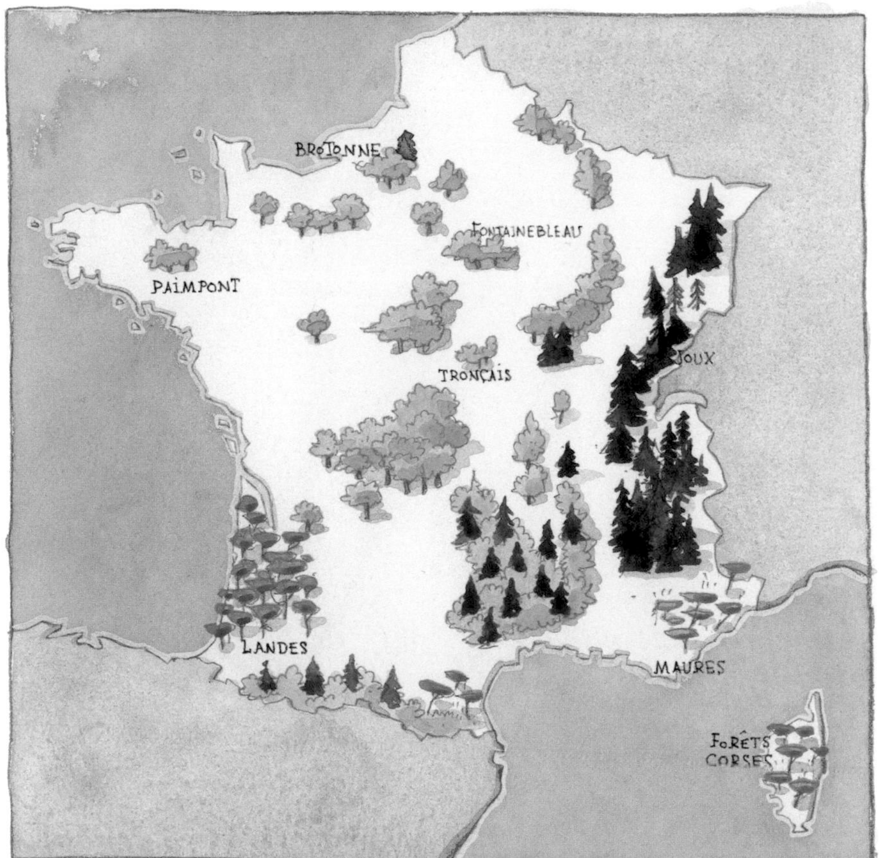

QUELQUES FORÊTS CÉLÈBRES

forêts de feuillus

forêts mixtes : feuillus et conifères

forêts de conifères

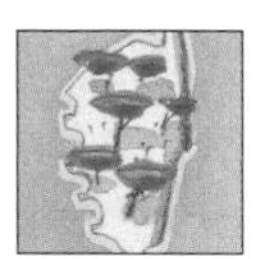

forêts méditerranéennes, garrigues et maquis

Promenades en forêt

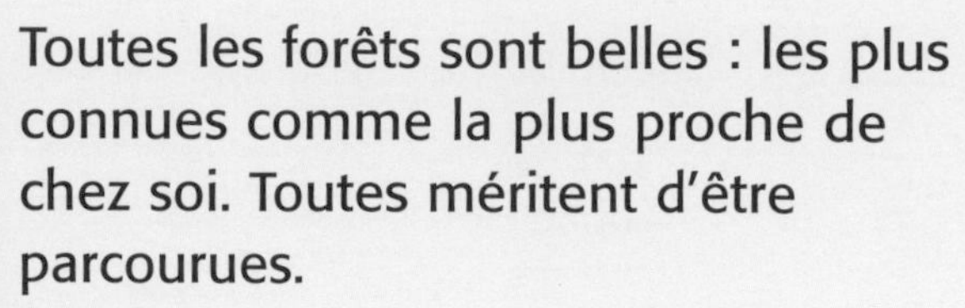

Toutes les forêts sont belles : les plus connues comme la plus proche de chez soi. Toutes méritent d'être parcourues.

La forêt de **Brotonne** occupe l'avant-dernière boucle de la Seine. Dans cette futaie, le hêtre domine, accompagné du chêne et du charme. Le pin sylvestre y a été introduit au XIXe siècle , le Douglas et l'épicéa, plus récemment.
Les chênes de Brotonne ont autrefois approvisionné Paris en bois de chauffage, ainsi que les forges et les verreries installées sur place. La faune sauvage est abondante, attirée par le voisinage du marais.

Du temps des Gaulois, la forêt couvrait toute la Bretagne intérieure. La forêt de **Paimpont**, près de Rennes, est ce qui reste de la légendaire Brocéliande où, au Moyen Âge, se cachaient les chevaliers de la Table ronde du roi Arthur...
On y montre encore le rocher qui servait de siège à l'Enchanteur Merlin et la fontaine Barenton près de laquelle, il n'y a pas si longtemps, on allait en procession pour demander la pluie !

La forêt de **Fontainebleau**, ancien domaine du roi, occupe 17 000 hectares à 60 kilomètres de Paris. Rien d'étonnant à ce qu'elle reçoive 10 millions de visiteurs par an. C'est un site remarquable avec ses collines, plateaux, plaines, gorges et rochers. S'y ajoutent 6 000 espèces végétales et une riche faune. On comprend que les peintres de l'école de Barbizon, les précurseurs de l'impressionnisme, s'y soient installés.
Le sous-sol est fait de sable, et de grès dont on a fait les pavés de Paris. Des circuits balisés conduisent aux chaos de rochers, haut lieu de la varappe et de l'escalade.

Joux est L'une des plus belles sapinières de France. Elle se trouve dans le Jura, un département couvert de sapins sur la moitié de sa surface. C'est Louis XIV qui fit transformer la forêt de feuillus en forêt de résineux, afin d'approvisionner en mâts la marine royale.
Depuis, les épicéas et les sapins prospèrent dans ce climat montagnard. Certains dépassent 50 mètres, en particulier le dénommé « Sapin Président », qui est le plus majestueux de tous.

Au centre de la France, la forêt de **Tronçais** est réputée la plus belle chênaie d'Europe. Certains de ses chênes, vieux de 300 ans, sont classés comme des monuments historiques. Ils ont même été baptisés : on connaît le fameux Sentinelle, les Jumeaux, mais aussi le Chevelu, les Époux.
Au XVIIe siècle, Colbert décida qu'on sèmerait là régulièrement des glands. Bientôt, la forêt fut exploitée par les forges de Tronçais, qui firent travailler jusqu'à 2 000 bûcherons. Chaque année, quelques arbres parvenus à maturité sont vendus très cher, pour faire des tonneaux, des charpentes. Ce sont des « Tronçais » qui ont servi à la rénovation des toitures du Louvre.

Le massif des **Maures**, près de Toulon, porte de belles forêts, de son sommet à 779 mètres jusqu'au bord de la Méditerranée. Malgré les incendies, de vieux châtaigniers y survivent, avec leurs énormes troncs creux. Sur les versants ensoleillés, alternent chênes verts et chênes-lièges, dont on prélève l'écorce. Les pins maritimes, victimes de parasites, ont presque disparu.
Cistes, arbousiers et bruyère arborescente abondent dans le maquis et le sous-bois. On dénombre ici 36 espèces d'orchidées, et on peut rencontrer la tortue d'Hermann devenue rare, car décimée par les incendies.

Les Landes, une jeune forêt

La plus grande forêt française, entièrement plantée de pins sur un million d'hectares, s'étend au sud de l'estuaire de la Gironde.

Poste de surveillance contre les incendies

Lorsque les Landes étaient des landes.

La forêt n'a que 150 ans. Auparavant, les Landes méritaient bien leur nom : c'était une grande plaine marécageuse, qu'on fuyait par peur d'une maladie apportée par les moustiques, le paludisme. Les paysans cultivaient, autour de leurs hameaux, quelques champs de céréales. Les bergers, juchés sur leurs échasses, parcouraient une lande où se nourrissaient les troupeaux de moutons, peu exigeants.

La grande plantation.

À l'époque de Napoléon III, de grands travaux mirent les Landes en état d'être plantées. On creusa des « canaux de drainage » ; on traça des pistes et des routes. On planta des pins maritimes.

La réussite fut spectaculaire : en vingt ans, toute la région se couvrit d'arbres. Les citadins fortunés achetèrent des parcelles. Les pins, au bout de quarante ans, étaient prêts à être exploités. La précieuse résine récoltée, les troncs étaient transformés en poteaux de mines et en poteaux télégraphiques. Ils approvisionnèrent bientôt les papeteries qui s'installèrent dans la région.

Menacée.

Mais la vente des pins n'est pas longtemps restée rentable et les propriétaires n'entretenaient plus la forêt. Les canaux se bouchèrent, les branches mortes s'accumulèrent dans le sous-bois, rendant l'incendie inévitable. Celui qui éclata après la Seconde Guerre mondiale anéantit le tiers des Landes. La fumée obscurcit alors le ciel de Bordeaux pendant plusieurs jours. Puis ce furent les tempêtes ; et enfin les chenilles processionnaires qui attaquèrent.

Il était grand temps de réagir. Les propriétaires tombèrent d'accord pour mettre en place un système d'alerte au feu. Ils subventionnent à présent une brigade permanente de sapeurs-pompiers. Des machines nettoient le sous-bois et les tronçonneuses vont bon train pour élaguer les jeunes arbres.

Montagne, forêts et maquis de Corse

La Corse est une montagne qui tombe dans la mer. Ses sommets sont couverts de futaies de pins Laricio. Dans les magnifiques forêts de Vizzavona, d'Ospedale, d'Aïtone, ils peuvent atteindre 40 mètres de haut. Plus bas, les châtaigniers autrefois cultivés et les chênes-lièges sont aujourd'hui peu exploités.

Le maquis, un fourré inextricable. Le maquis est typique du climat méditerranéen. La myrte, les cistes et les ajoncs, les arbousiers et la bruyère couvrent le sol d'une broussaille épaisse et souvent épineuse. Cette végétation a remplacé la forêt que les bergers ont défrichée par le feu pendant deux mille ans.

Dans le maquis, on se cache facilement, on se perd aussi. Il couvre plus de la moitié de l'île et continue à s'étendre, envahissant les « terrasses de culture » abandonnées.

La proie des flammes. Aujourd'hui, le maquis est souvent la proie des flammes. La plupart des incendies sont volontaires, allumés par des criminels ou par des bergers inconscients, désireux de favoriser la repousse d'herbe pour nourrir leurs brebis et leurs chèvres. Ces incendies se produisent l'été, en période de sécheresse, lorsque soufflent des vents violents. Ils détruisent également les forêts.

Les anciennes terrasses de culture réapparaissent vite après le passage du feu, mais le maquis met longtemps à reverdir.

La montagne

C'est dur, la vie en montagne. Dès que le marcheur commence à grimper, ses jambes sentent que la pente est forte, il s'essouffle. S'il s'arrête, il a froid. Plantes et animaux doivent, eux aussi, s'adapter.

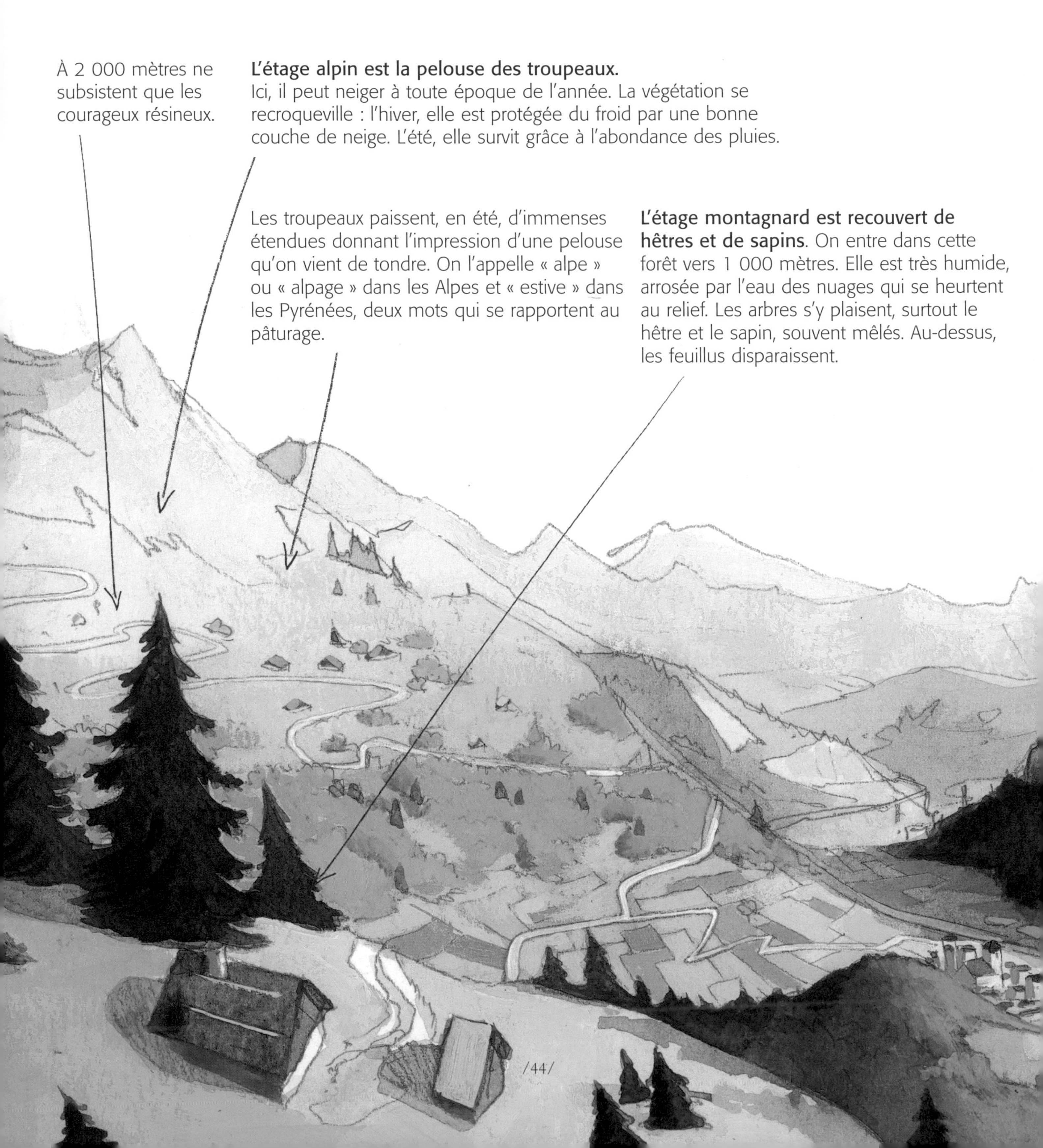

À 2 000 mètres ne subsistent que les courageux résineux.

L'étage alpin est la pelouse des troupeaux. Ici, il peut neiger à toute époque de l'année. La végétation se recroqueville : l'hiver, elle est protégée du froid par une bonne couche de neige. L'été, elle survit grâce à l'abondance des pluies.

Les troupeaux paissent, en été, d'immenses étendues donnant l'impression d'une pelouse qu'on vient de tondre. On l'appelle « alpe » ou « alpage » dans les Alpes et « estive » dans les Pyrénées, deux mots qui se rapportent au pâturage.

L'étage montagnard est recouvert de hêtres et de sapins. On entre dans cette forêt vers 1 000 mètres. Elle est très humide, arrosée par l'eau des nuages qui se heurtent au relief. Les arbres s'y plaisent, surtout le hêtre et le sapin, souvent mêlés. Au-dessus, les feuillus disparaissent.

On repère facilement la différence d'exposition des deux versants d'une vallée. Dans les collines de piedmont et au bas des versants, les villages sont exposés au soleil. Alentour, ce sont les cultures et les prés de fauche. Dans les Alpes, on dit adret et ubac, dans les Pyrénées, soulane (de « soleil ») et ombrée (d'« ombre »). Le versant de la soulane (ou adret) regarde vers l'est et le sud. Il est donc exposé directement aux rayons du soleil.

Les rayons du soleil ne touchent qu'obliquement l'ombrée (ou ubac) qui regarde au nord. À l'ombre, il y a la forêt, rien que la forêt.

La vie est rare, en haute montagne, au-dessus de 2 500 ou 3 000 mètres.

On pourrait croire que plus on monte, plus la nature est calme et paisible. Mais ce n'est qu'une impression. Il y a encore de la vie et du mouvement, là-haut.
De rares animaux et de nombreux végétaux s'accrochent. Et puis tout bouge : les parois cassent, les torrents creusent, les glaciers avancent ou reculent.

Quelques plantes très résistantes s'enracinent dans les anfractuosités des rochers. Les grands rapaces, qui nichent sur les parois, planent haut dans le ciel. Mais ce qui domine le paysage, c'est le rocher dans un écrin de neige et de glace.

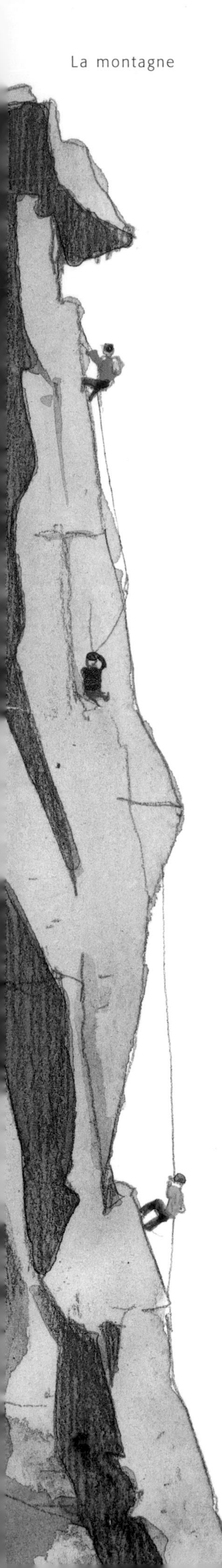

Près des sommets

Les 800 glaciers de France, comme les hauts sommets, fascinent et attirent les hommes.

Il y a 20 000 ans, à l'époque des hommes de Cro-Magnon, de gigantesques glaciers s'écoulaient du haut de toutes nos montagnes jusque loin dans les plaines. Les vallées étaient pleines de glace à ras bords.

Puis le climat se réchauffa.

Au XVIIe siècle, un nouveau refroidissement a provoqué une crue lente mais terrifiante. Celle-ci a fait sortir les glaciers du Mont-Blanc dans la vallée de Chamonix.

Aujourd'hui, la tendance est, dit-on, au recul. En fait, les glaciers ne reculent pas plus que les rivières ne remontent leur cours ! Ils fondent en épaisseur et, à leur extrémité, ils raccourcissent...

En France, la plupart des glaciers se trouvent dans les Alpes du Nord, accrochés aux sommets les plus hauts ou nichés dans le fonds des vallées.

La montagne, un milieu naturel instable et violent...

Les parois se brisent, les rochers s'écroulent, les pierres roulent. Les torrents emportent les débris vers l'aval : en 10 kilomètres de parcours, un torrent réduit un rocher de 20 centimètres de diamètre en cailloux de 2 centimètres.

Comme il pleut et neige en abondance, les torrents débordent de leur lit, surtout lorsque la pluie s'abat pendant la fonte des neiges. Quand le manteau neigeux est déstabilisé, c'est l'avalanche, plus terrible et plus meurtrière que l'inondation. Mais on a repéré depuis longtemps les couloirs d'avalanche : à condition de bâtir des obstacles qui ralentissent la coulée de neige, on arrive souvent à écarter le danger.

... à conquérir ? Il y a longtemps que les hommes cherchent à gravir les pics et les parois. Tant que les alpinistes étaient peu nombreux, ils pouvaient jouir d'une nature vierge et silencieuse. Aujourd'hui, les cordées se suivent à la queue leu leu, et parfois seul l'effort sportif est recherché. Mais les rochers tiennent bon et le milieu se trouve rarement dégradé.

Il en va tout autrement avec les sports d'hiver. Il y a entre mille et deux mille stations de ski dans le monde, et la France en compte, à elle seule, une centaine (environ 80 dans les Alpes, une quinzaine dans les Pyrénées, pas plus d'une dizaine dans les Vosges et le Jura, quelques-unes dans le Massif central).

Elles ont parfois été construites de toutes pièces avec leurs immeubles au pied des pistes. Le plus souvent, ce sont des villages de montagne qui se sont dotés de téléphériques et de remontées mécaniques. Ces équipements tout comme le tracé des pistes elles-mêmes perturbent le paysage, en été comme en hiver. Où trouver des espaces vierges de ces vilaines griffures ? dans les parcs régionaux et nationaux.

Une grande station de ski avec ses pistes et ses remontées mécaniques installées au pied des immeubles

Aigle royal

Les parcs nationaux

Sept parcs nationaux ont été créés en France, et quatre d'entre eux sont spécifiquement montagnards : les parcs de la Vanoise et des Écrins dans les Alpes du Nord, du Mercantour dans les Alpes du Sud et celui des Pyrénées occidentales.

Pourquoi créer des parcs ? En 1960, lorsque la loi sur les parcs nationaux a été rédigée, des avis très différents se sont exprimés. Pour les uns, il s'agissait de garder en l'état une partie du territoire pour en préserver la beauté, la faune et la flore. Pour d'autres, l'objectif était de maintenir le mode de vie traditionnel des habitants et d'en faire une sorte de musée vivant. Mais les plus nombreux et les plus actifs ne voyaient dans les parcs nationaux qu'un moyen de promouvoir le tourisme. La loi est donc un compromis.

Le parc de la Vanoise se trouve dans le département de la Savoie. Les vallées de la Maurienne et de la Tarentaise délimitent un ensemble de très hauts sommets et de glaciers : la Vanoise. On y a défini le premier parc national créé en France : 528 km^2 dans sa partie la plus protégée.

Bouquetin

Sauvons les bouquetins ! Dès 1930, des pétitions d'amoureux des sommets réclamèrent que soit « réservée » une zone où la chasse serait interdite. Il s'agissait de sauver les quelques dizaines de bouquetins qui avaient échappé à des siècles de poursuites. Dans les années 1960, vint l'idée de faire mieux : de créer un parc national. Cela se fit… lentement. Les maires des 28 communes concernées eurent peur de ne plus pouvoir développer le tourisme. Ils avaient tort, on le sait à présent.

Quelque 5 000 chamois dans la première réserve d'Europe. Les Italiens avaient, de leur côté, créé le parc du Grand Paradis. Voisins de part et d'autre de la frontière, les

Lièvre variable

parcs français et italien ont été jumelés. Ainsi est née la plus grande réserve naturelle d'Europe.

Côté France, plus de 1 000 espèces végétales, dont beaucoup sont protégées (interdiction de les cueillir), cohabitent jusqu'au pied des glaciers. La faune se reproduit tranquillement : on y compte au moins 1 500 bouquetins et 5 000 chamois. Le lièvre variable et la perdrix des neiges se peignent en blanc pour l'hiver. On ne les voit guère, mais ils sont là. Les aigles royaux sont leurs grands prédateurs.

Le parc des Pyrénées occidentales suit la frontière espagnole et longe sur une dizaine de kilomètres le parc d'Ordesa en Espagne. C'est là que voisinent deux célèbres monuments de la nature, le cirque de Gavarnie et le mont Perdu : un ensemble d'une telle valeur qu'il a été classé « Patrimoine de l'humanité ».

Ours

La vie continue. La moitié de la surface du Parc est constituée de pelouses, d'estives, où les troupeaux de vaches et surtout de brebis pâturent pendant l'été. Leur rôle est essentiel : en broutant l'herbe, elles empêchent l'embroussaillement des versants et la dégradation du paysage.

Les forêts sont exploitées, ce qui leur permet d'être en bon état. Mais le promeneur s'étonne qu'on abatte des arbres, alors qu'on lui interdit de cueillir des fleurs... On lui interdit aussi, ce qu'il comprend mieux, de chasser, de promener un chien, de faire du feu ou de circuler en 4 x 4 et de faire du bruit.

Perdrix des neiges

Ici, le chamois est un isard... mais l'ours reste quasi invisible. L'ours attirant les touristes, on en a bien réintroduit quelques-uns capturés en Europe centrale. Mais ils se cachent dans la forêt et ne visitent le Parc qu'à l'occasion... pour croquer quelque brebis. Ce que chacun peut admirer plus aisément, ce sont les plantes montagnardes : le lis, l'iris et la gentiane ; et les oiseaux. Quelques superbes espèces de grands rapaces paraissent avoir choisi le Parc comme dernier refuge : les vautours fauves, les gypaètes barbus, les aigles royaux.

Entre terre et eau : le marais

Ce n'est ni de la terre ni de l'eau. Ou plutôt, c'est à la fois de la terre et de l'eau, douce ou salée : voilà pourquoi les milieux humides se révèlent si riches.

Le marais, cet ennemi ?

Les milieux humides prennent différentes formes : étangs, tourbières, vasières du bord de mer, marais... On les protège aujourd'hui, mais on en a eu peur pendant des siècles.

On s'y perdait, on y disparaissait, enseveli dans la vase ou les sables mouvants. Fièvres et épidémies venaient des terres marécageuses. Au Moyen Âge, sous la direction des moines, les paysans de corvée les drainaient. Asséchées, ces terres étaient ensuite labourées et plantées. Ce qui restait d'eau a ensuite été aménagé pour y élever des poissons.

Plus récemment, les machines ont permis l'assèchement en grand, et les agriculteurs modernes ont véritablement conquis les zones humides.

Une richesse exceptionnelle. La diversité de la végétation du marais est remarquable. Il y a les roseaux, les joncs ou les superbes iris jaunes, qu'on repère facilement : ils nous avertissent qu'il y a du marécage et que les bottes sont nécessaires.

Le milieu abrite une faune abondante ; les oiseaux y trouvent une nourriture riche et variée.

Gardians à cheval et taureaux

La Camargue, triangle magique

Le Rhône, la mer, le vent, le sel et les hommes ont façonné au cours des siècles ce triangle de terres magiques.

Plate et mouvante. Au sommet du delta, la ville d'Arles, située à 45 kilomètres de la mer, n'est qu'à 4 mètres d'altitude. Là, l'eau apportée par le Rhône est douce. Au sud, où la mer envahit les parties basses, l'eau est salée. Les courants et les tempêtes font bouger les plages. Autrefois, loin de la côte, les Saintes-Maries-de-la-Mer sont désormais au bord de l'eau ; tandis qu'Aigues-Mortes, d'où Saint Louis s'embarqua pour la croisade, est maintenant à 5 kilomètres du rivage.

Flamant rose

Une réserve de nature. Sur cette terre où se mêlent eaux douce et salée, les marais, les étangs et les prairies sont un véritable joyau. Autour de Vaccarès, la nature est conservée à l'état sauvage. Près des étangs, on voit des roseaux ; sur la terre ferme, des bosquets de tamaris et de la salicorne. Là évoluent les troupeaux : manades de taureaux et bandes de chevaux, réputés sauvages parce qu'ils se déplacent librement.

Mais seuls les oiseaux sont vraiment libres, migrateurs ou sédentaires ; on en dénombre 400 espèces. Les flamants roses, les canards venant du Nord ou les hérons cendrés sont les plus célèbres. Tout ce monde puise sa nourriture dans les eaux salées. Enfin, il y a les moustiques…

Taureau

Pas touche ! La Camargue est en équilibre instable permanent. Sur cette mosaïque de terres émergées et immergées, la vie est suspendue aux variations du niveau des eaux et de la salinité. Il faut la défendre contre les menaces venant de toutes parts. Au nord, l'extension de l'agriculture mécanique, qui empiète sur le marais ; à l'ouest, la pression des aménagements touristiques du Languedoc et l'invasion des estivants sur les plages ; à l'est, les pollutions du complexe industriel de Fos.

Du riz et du sel. Au nord et au sud du delta, la Camargue n'est pas sauvage du tout. Au nord, on cultive des abricotiers, de la vigne, des légumes primeurs. Mais c'est surtout le riz qui règne en maître. Au sud, c'est le royaume du sel. Près de Salin-de-Giraud, les marais salants couvrent une immense étendue. Pour notre sel de table ? Pas tellement. C'est surtout pour l'industrie chimique.

L'immense Marais poitevin

Au nord de La Rochelle, face à l'île de Ré, s'étend le Marais poitevin. On peut le parcourir sur des dizaines de kilomètres, à pied, à vélo, à cheval, en bateau ou en voiture.

C'est le « pays de l'eau partout », avec ses rivières qui serpentent, ses prairies souvent inondées. Côté océan, de l'eau salée remonte avec la marée. La vase apportée par les rivières et les courants marins est le milieu idéal des moules. On les élève sur des pieux appelés « bouchots ». Lorsqu'on tourne le dos à l'océan, on peut emprunter des canaux, et sur des centaines de kilomètres, circuler en bateau.

« Maraîchins » et « marouins ». À force de construire des digues et des canaux, les hommes ont réussi à assécher la plus grande partie du marais. Là, on ne voit que des champs de maïs et des vaches dans les prairies. Les agriculteurs (les « marouins ») cultivent ce marais desséché, et sur lequel ils vivent. Mais, plus loin de la mer, subsiste le marais mouillé : celui des petites parcelles de terre entourées d'arbres, séparées par d'innombrables ruisseaux : la « Venise verte ». Il y reste des paysans-pêcheurs, les « maraîchins ».

La « Venise verte » : tout y est vert, les arbres, les prairies et même les canaux couverts de lentilles d'eau qui s'ouvrent au passage de la barque !

Des milliers d'oiseaux et des anguilles. Le marais est une halte sur la grande voie de migration des oiseaux du nord de l'Europe. Les canards et les oies, qui vont vers l'Afrique en automne et en reviennent au printemps, s'y arrêtent. Certains restent sur place.

D'autres sont déjà sédentaires : des colverts, des vanneaux, des hérons, qui pêchent les pieds dans l'eau, des rapaces... et même des cygnes.

La faune aquatique est, elle aussi, d'une variété exceptionnelle. Le passage des eaux salées de l'océan aux eaux douces du marais attire les poissons migrateurs. Les anguilles, nourriture traditionnelle des paysans-pêcheurs, pullulent.

Anguille

Les civelles arrivent toutes petites après une épuisante traversée de l'Atlantique et se transforment en anguilles en remontant le cours des rivières.

Le Marais ne va pas bien : l'agriculture intensive qui s'est développée partout où elle le pouvait, avec ses machines et ses produits chimiques, le menace. Les oiseaux, les poissons, les batraciens se raréfient.

Signe des temps, la loutre a presque disparu à force d'être piégée pour sa fourrure, tandis que les ragondins d'origine américaine, échappés de leurs élevages, se sont multipliés. Ils causent aux berges des canaux des dommages considérables en y creusant leurs terriers.

Le littoral

Plus de la moitié de la France est bordée de côtes, on dit aussi d'un « littoral », où la terre entre en contact avec la mer. Sable, rochers et falaises dessinent des paysages changeant d'heure en heure.

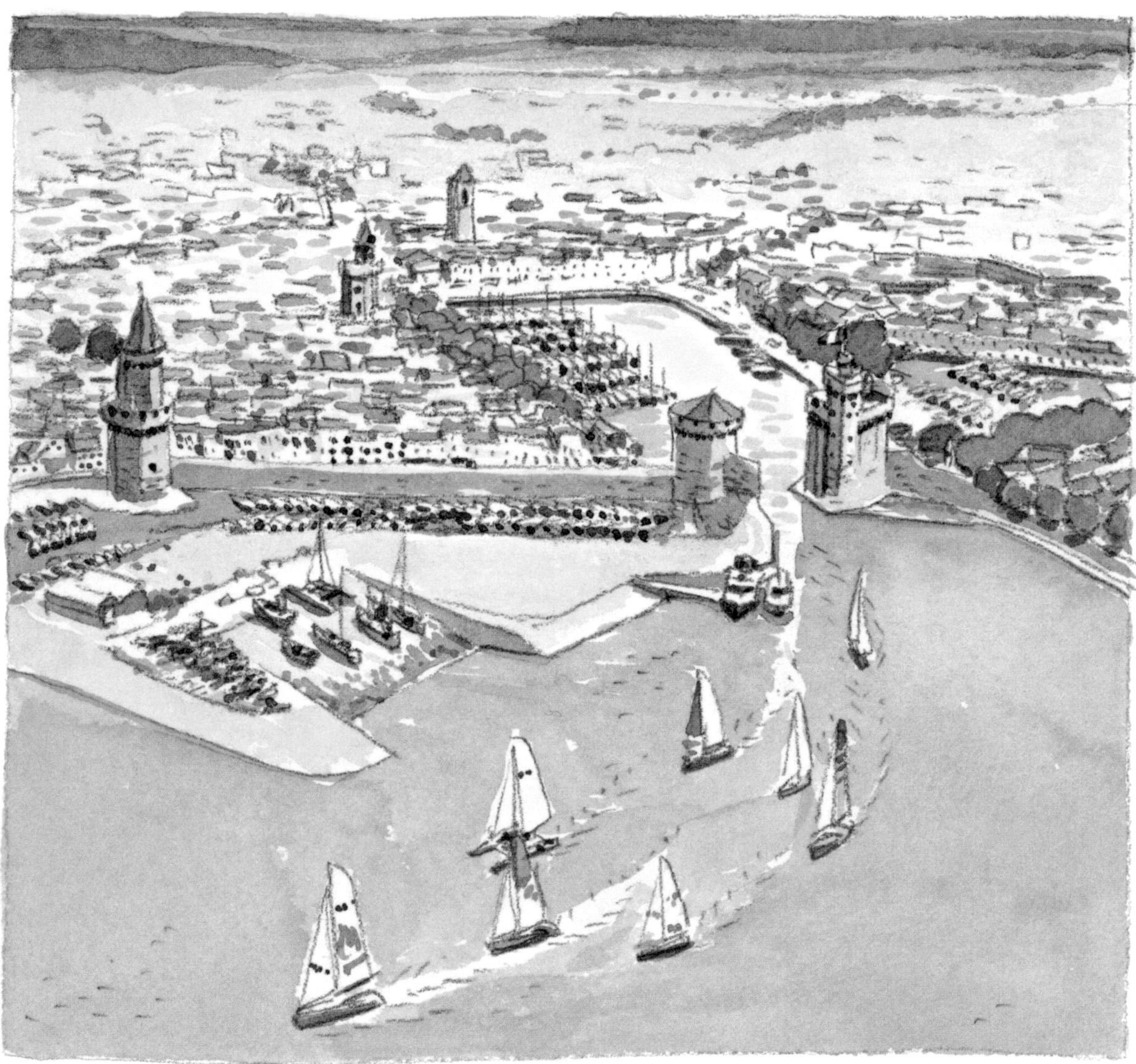

La Rochelle est un ancien port royal fortifié, qui fut laissé aux protestants par Henri IV, après l'Édit de Nantes. Aujourd'hui, La Rochelle est avant tout un port de plaisance.

7 000 kilomètres de côtes

Calculer la longueur des côtes de la France a longtemps été un travail impossible. Il aurait fallu longer les plages, passer au pied des falaises, aller jusqu'au fond des baies, contourner les rochers et, enfin, ajouter les îles et les îlots. Mais avec les moyens d'observation modernes et les images-satellites, on a pu mesurer environ 7 000 kilomètres de littoral.

Bien des horizons. La mer du Nord, la Manche, l'océan Atlantique, la mer Méditerranée cernent l'ouest et le sud de notre pays. Elles baignent les reliefs les plus divers : plaines et plateaux, collines et montagnes. Selon la nature du sol et les reliefs, la côte est faite de sable, de rochers ou de falaises. Résultat : le littoral est varié lui aussi, mais il présente partout des caractéristiques qui en font un milieu bien à part. Et ses paysages attirent les touristes du monde entier.

La mer monte. La ligne de rivage se modifie chaque jour, avec le va-et-vient de la marée et le déferlement des vagues ; mais aussi à long terme, en fonction des variations du niveau des mers. Si toutes les glaces polaires fondaient, le niveau de la mer s'élèverait de 70 mètres. Heureusement, on n'en est pas là ! Pourtant, il y a 20 000 ans, ce niveau était inférieur à l'actuel d'une centaine de mètres : on aurait pu aller en Grande-Bretagne à pied sec...

Depuis cette époque, le niveau remonte. Il a gagné 15 centimètres durant les cent dernières années. Qu'en sera-t-il pendant les cent prochaines ? Le réchauffement de la planète risque d'entraîner une remontée plus rapide. Les falaises seront attaquées, les plages déplacées, les estuaires envahis... Et la côte changera d'aspect.

Des plages partout... ou presque. Certains rivages sont très inhospitaliers. La côte rocheuse du nord de la Bretagne présente, à certains endroits, des falaises de plus de 50 mètres de haut, souvent précédées de récifs où se brisent les vagues. Paysage impressionnant ! Et pourtant, entre ces falaises, de petits vallons permettent de descendre jusqu'au bord de l'eau. Et là, surprise, quelques mètres de plage attendent le promeneur. Car, partout où les falaises ne tombent pas

Falaise sur la côte nord de la Bretagne

droit sur la mer, le sable s'est accumulé. En effet, les fragments de rochers et les cailloux descendus sur les pentes sont entraînés par les vagues et les courants. Cassés, roulés, réduits en miettes, ils deviennent du sable (et parfois des galets). La mer est une immense « usine à sable », au bénéfice des plus petites comme des plus grandes plages.

Fragilité. Tout bouge. Les falaises s'érodent et reculent. Les dunes sont mobiles sous l'effet du vent, le sable est transporté par les courants. Les fleuves apportent des sédiments... et toutes sortes de pollutions venant du continent. Les côtes sont un milieu particulièrement sensible où la nature est active en permanence.

Les hommes ont cherché à bénéficier des immenses avantages procurés par la mer. Ils ont construit des ports, des digues, des usines, des villes... sans bien en mesurer les conséquences pour la mer, ses ressources et ses côtes.

Bateau de pêche

Bateau de plaisance à « ancien gréement »

Des ports de pêche et de plaisance. Malgré la richesse et la variété de son littoral, la France n'est pas un pays de grands ports de pêche. Seuls Boulogne sur la Manche, et les ports bretons de Lorient et de Concarneau ont des « criées ». Sur ces marchés, le poisson est vendu aux enchères dès le retour des bateaux. La pêche française est concurrencée par d'autres pays européens, et le nombre de pêcheurs a beaucoup diminué.

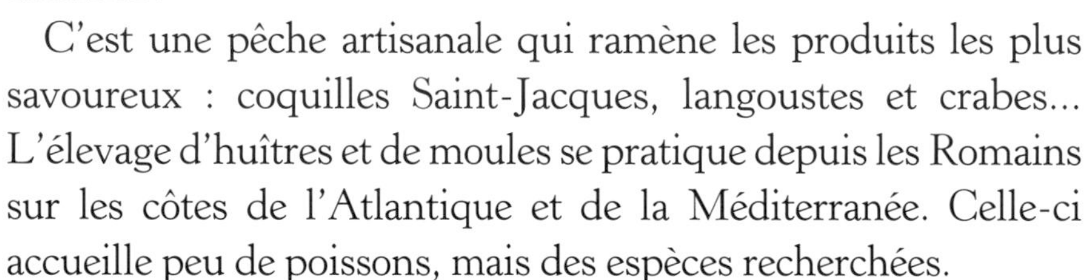

C'est une pêche artisanale qui ramène les produits les plus savoureux : coquilles Saint-Jacques, langoustes et crabes... L'élevage d'huîtres et de moules se pratique depuis les Romains sur les côtes de l'Atlantique et de la Méditerranée. Celle-ci accueille peu de poissons, mais des espèces recherchées.

Les ports de plaisance se sont en revanche multipliés, comme les stations touristiques dans lesquelles ils sont basés.

L'État a créé un Conservatoire du littoral, qui protège la nature là où c'est encore possible. Il a les moyens d'acheter ou d'exproprier des terres qu'il estime menacées. Plus de 800 kilomètres de côtes ont ainsi été sauvegardés. C'est peu, mais cela constitue quand même une belle collection de sites représentatifs du patrimoine naturel national.

Côté Manche

Le nord-ouest de la France est baigné par la Manche. Du Pas-de-Calais, à 30 kilomètres de la Grande-Bretagne, jusqu'au Mont-Saint-Michel, qui hésite entre Normandie et Bretagne, la Manche a bien des attraits. Des plus secrets aux plus renommés.

Les falaises d'Étretat : le pays de Caux est ce gros « nez » qui, sur la carte, se profile au nord de l'estuaire de la Seine. Dans ce plateau de craie, la mer a attaqué et découpé des falaises.

Les falaises d'Étretat sont taillées dans le calcaire par la mer.

Véritable monument naturel qui attire les touristes et les peintres, les falaises illustrent bien le phénomène de recul de la côte. Elles ont pris toutes sortes de formes bizarres : parois striées, arches, aiguilles.

Le Mont-Saint-Michel. À la limite de la Bretagne et de la Normandie, au pied de la presqu'île du Cotentin, la baie du Mont-Saint-Michel doit son nom à l'îlot rocheux sur lequel se dresse la fameuse abbaye. Mais toute la baie mérite attention.

Elle est comblée en partie, et le Mont se dresse au milieu d'immenses bancs de sable et de vase qui, à marée basse se découvrent très loin... jusqu'à 15 kilomètres. Sur le fond plat, le flot monte si rapidement qu'il peut surprendre le promeneur imprudent. Aux « grandes marées » des équinoxes, l'écart entre la mer basse et la mer haute atteint 15 mètres et, pendant quelques jours, le rocher reste cerné par les eaux.

La digue reliant la terre au Mont faisait obstacle au libre mouvement de la marée. C'est pourquoi on a décidé de la détruire. Le Mont-Saint-Michel reste encore menacé par la circulation excessive, le stationnement des voitures et des cars de touristes.

L'abbaye a été construite par les moines au XIIe siècle sur l'îlot rocheux. Celui-ci est relié à la terre par une digue, qui sera bientôt remplacée par une passerelle pour laisser libre cours à la marée.

Côté Atlantique

L'ouest de la France est bordé par l'Atlantique. La presqu'île bretonne a une côte rocheuse, qui dessine une infinité de criques et d'anses.
En allant vers le sud, la côte s'adoucit avec le sable fin des pays de Loire puis de la Vendée. Vient ensuite l'immense plage de la côte de Gascogne.

On la représente toujours déserte sur les photos, mais la pointe du Raz est très prisée des touristes !

La pointe du Raz. Dans le Finistère (un nom qui signifie « fin de la terre » !), la Bretagne ouvre une large gueule au fond de laquelle la luette est la presqu'île de Crozon. Au bout de la mâchoire sud, c'est la pointe du Raz. Celle-ci domine la « baie des Trépassés » : un nom qui rappelle les périls de la navigation sur une mer agitée et pleine d'embûches. Ici, les rochers sont déchiquetés par des vagues rendues violentes en se heurtant aux récifs.

La pointe du Raz reçoit plus d'un million de visiteurs par an. Beaucoup trop ! La lande naturelle, à force d'être piétinée, a fait place à un véritable désert de cailloux. Pour reconquérir cet espace, on a tracé des sentiers dont il ne faut pas s'éloigner. Par endroits, déjà, la végétation reverdit… Ce sont maintenant les lapins qui menacent.

Le passage du Goix, relie l'île de Noirmoutier au continent, il n'est praticable qu'à marée basse.

Noirmoutier, fille du cortège des îles. La côte de l'océan est surlignée d'un chapelet d'îles, plus ou moins étendues. Du nord au sud, ce sont Belle-Île, Noirmoutier, Yeu, Ré, Oléron. Autrefois tournées vers la pêche et l'agriculture, elles sont à présent colonisées par les vacanciers.

Noirmoutier, par exemple, située juste au sud de l'estuaire de la Loire, est reliée au continent par une chaussée praticable à marée basse et par un pont.

L'île réunit toutes les facettes du littoral français : plages et dunes, petites falaises et un marais salant. Celui-ci est partiellement exploité : pour son sel et en bassins d'aquaculture. Ce qui reste d'espace est partagé entre des installations touristiques et des champs d'une agriculture de qualité : les pommes de terre primeurs de Noirmoutier sont réputées.

La côte de Gascogne : la plus longue plage d'Europe. De la pointe de Grave, à l'extrémité de l'estuaire de la Gironde, à l'embouchure de l'Adour, au voisinage de Biarritz, la côté de Gascogne aligne 230 kilomètres de plage.

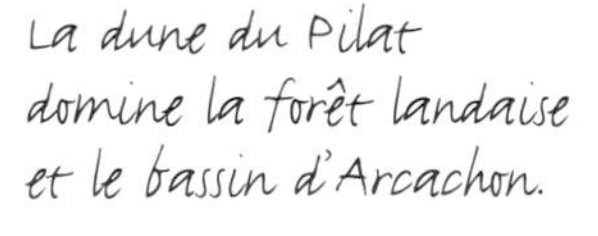

La dune du Pilat domine la forêt landaise et le bassin d'Arcachon.

Quelques stations balnéaires jalonnent cette côte, qui reste néanmoins sauvage et dangereuse. La houle se brise en énormes rouleaux à la rencontre de la plage. Le rivage tend d'ailleurs à reculer sous les coups de butoir de la mer. L'effondrement du « mur de l'Atlantique » formé de blockhaus, ces vilaines pièces de béton brut construites par les Allemands pendant la Seconde Guerre mondiale, en témoigne. Envahies et sapées par la mer, elles ont été renversées et déplacées.

Toutes les dunes qui bordent les plages sont menacées. Des plantations de buissons aux racines profondes tentent de les stabiliser : les promeneurs doivent les respecter.

La petite mer des Bordelais : il n'y a qu'une seule échancrure dans le long cordon de dunes qui dessine la côte de Gascogne, mais elle est de taille ! C'est le bassin d'Arcachon, une sorte de mer intérieure à 74 km de Bordeaux. Ce grand bassin de forme triangulaire est ouvert sur l'océan par des « passes » étroites situées à l'angle sud-ouest, entre les stations balnéaires du Cap-Ferret et d'Arcachon. Dans le bassin, on pratique l'« ostréiculture » : l'élevage d'huîtres.

Cabanes d'ostréiculteurs près d'Arcachon

À chaque marée haute, le bassin se remplit par un déferlement d'énormes masses d'eau. À marée basse, le bassin se vide, laissant apparaître une étendue d'herbes, d'algues et de vase. Au sud-ouest, tout près des passes, s'élève à 105 mètres de hauteur la dune du Pilat, phénomène exceptionnel, classé « grand site national ». La dune est vraiment très instable : elle a triplé de hauteur en un siècle !

Côté Méditerranée

Au sud, la France rencontre la Méditerranée. La côte du Languedoc est une longue plage de sable, jalonnée d'étangs infestés de moustiques et jadis insalubre. C'est pourquoi ses villes (Narbonne, Perpignan, Béziers, Montpellier, Nîmes) sont implantées en retrait dans les terres. Dans les années 1960, l'État a décidé de construire sept stations balnéaires, reliées à l'autoroute A9. Tous les ans des millions de vacanciers séjournent désormais entre Argelès et le Grau-du-Roi.

Au-delà de la Camargue, le littoral est un lieu de villégiature et de tourisme depuis plus d'un siècle. Étrangers et Français continuent pourtant d'élire la Côte d'Azur le temps des vacances ou pour y vivre. Mais celui qui sait la chercher rencontre encore la nature, qui affleure partout, splendide.

La calanque d'En-Vau avec à l'arrière-plan, la falaise la plus haute de France, le cap Canaille et ses 406 mètres

La falaise du cap Canaille et les calanques de Cassis.

Les calanques sont des criques allongées, bordées de falaises. Elles prolongent les vallons creusés dans un magnifique massif calcaire, qui est miné par des galeries ou des grottes, et incisé par des vallons secs. La calanque de Sormiou, la première depuis Marseille, est desservie par un bon chemin. D'autres, parmi lesquelles la spectaculaire En-Vau, ne sont accessibles que par bateau.

Les falaises se sont écroulées par pans entiers. La transparence de l'eau permet d'apercevoir à leur pied des empilements de blocs et d'éboulis sous-marins. L'exploration sous l'eau est passionnante.

Ici, on a découvert la fameuse grotte Cosquer, dont la galerie d'entrée est à 37 mètres au-dessous du niveau de la mer. Ses parois portent des peintures préhistoriques. Comme nos lointains ancêtres n'étaient pas des plongeurs, on tient là la preuve que le niveau de la mer a monté.

Le sentier sous-marin de Port-Cros. À l'est de Toulon, au bout de la presqu'île de Giens, on aperçoit l'archipel des îles d'Hyères : Porquerolles, Port-Cros, qui sont à portée de bateau en quelques minutes, et l'île du Levant.

Avant d'être un parc national, Port-Cros était une petite île couverte de forêts. Son port bien abrité n'héberge plus qu'une vingtaine d'habitants permanents. Quatre forts attestent de son ancienne vocation militaire.

Dans le domaine maritime qui ceinture l'île sur un rayon de 600 mètres, il est interdit de jeter l'ancre n'importe où, et de chasser. Mollusques et crustacés trouvent ici refuge et nourriture, on y a dénombré des centaines d'algues différentes et 180 espèces de poissons. À Port-Cros, on a pu sauver deux espèces menacées : le plus grand coquillage de la Méditerranée, la grande nacre. Cette moule géante (et, hélas, jugée décorative) est fichée dans les fonds. La voilà, aussi intouchable que le mérou, victime, lui, d'une chasse intensive.

Un « sentier sous-marin », balisé par des bouées sur une distance de 300 mètres, est à la disposition du visiteur. En surface avec un masque, on découvre une scène complète de la faune et de la flore aquatiques, sans même faire fuir les poissons habitués aux spectateurs. Quant aux plongeurs équipés de bouteilles, la découverte des fonds leur réserve une vision féerique...

Gorgones multicolores, éponges arborescentes, herbes de Posidonie, une espèce protégée qui vit seulement en Méditerranée, se balancent lentement sous l'œil du gros mérou immobile.

Vivre ici

Sur les 62 millions d'habitants que compte notre pays, trois sur quatre vivent en ville. C'est peut-être pour cela que les Français sont de grands amoureux de la campagne, une campagne qui a pourtant connu bien des bouleversements.
Où que l'on habite, l'environnement est une affaire de tous les jours, qui nous concerne tous. Il y a même urgence !

Les Français

Dépeindre la vie de tous les habitants du pays est impossible : nous sommes tous différents. La société française est cependant autre chose qu'une addition d'individus. Faire le portrait des Français à partir de statistiques, ce n'est pas tirer une photographie de toute la réalité, mais c'est dessiner une image riche en informations.

Combien sommes-nous ?

La population varie sans cesse. À chaque instant, il y a des naissances (86 bébés toutes les heures !), des décès, des immigrants qui arrivent en France et des émigrants qui quittent le pays. Comment, dès lors, savoir combien la France compte d'habitants ? Et comment a-t-on fait pour calculer qu'il y a environ 6 millions d'enfants entre 7 et 14 ans ?

86 naissances par heure... et 62 millions d'habitants. À une date précise, on effectue un recensement : on compte la population. Le dernier qui a eu lieu, en février 2004, a permis de savoir que 62 millions de personnes habitent en France. Quelque 60 millions vivent en métropole : à l'intérieur des frontières de l'Hexagone et en Corse, tandis qu'un peu moins de 2 millions de Français habitent les départements et territoires d'outre-mer.

Pour sa population, la France est au 2e rang en Europe et au 20e rang dans le monde.

Français ou étrangers, d'ici ou venus d'ailleurs. La population de la France métropolitaine compte 60 millions d'individus. Parmi eux, il y a environ 3 millions d'étrangers. C'est relativement peu : en proportion, nos voisins, l'Allemagne et le Luxembourg, en accueillent beaucoup plus.

Parmi les Français, 2,4 millions sont d'origine étrangère : ils ont acquis la nationalité française en naissant dans notre pays, par mariage ou par naturalisation.

On a calculé qu'en tout, 10 millions de Français, soit un Français sur six, ont au moins un parent, ou un grand-parent, né hors de France.

Jeune... 7 ans, c'est l' « âge de raison ». À 12-13 ans, on est un « ado ». L'adolescence, c'est cette période de la vie au cours de laquelle on se transforme en adulte. Mais à quel âge le devient-on vraiment ? Personne n'arrive à fixer sérieusement les limites d'âge de la jeunesse ! En revanche, on sait que les adultes ont beaucoup modifié leur façon de vivre. Ils se marient et ont des enfants beaucoup plus tard que leurs parents et grands-parents. Un Français sur dix seulement se marie avant 29 ans. Vingt-neuf ans, c'est aussi l'âge auquel les femmes ont leur premier enfant.

... ou vieux : qu'est-ce que ça veut dire ? Est-on « vieux » au moment de prendre sa retraite ? Le nombre de personnes âgées de plus de 60 ans augmente : elles sont plus de 12 millions en 2005, ce qui équivaut à un cinquième de la population totale. Les plus âgés, au-delà de 75 ans, sont encore plus de 4 millions.

Vivre ensemble… différents

La société française, ce sont tous ses habitants et leur façon de vivre ensemble.

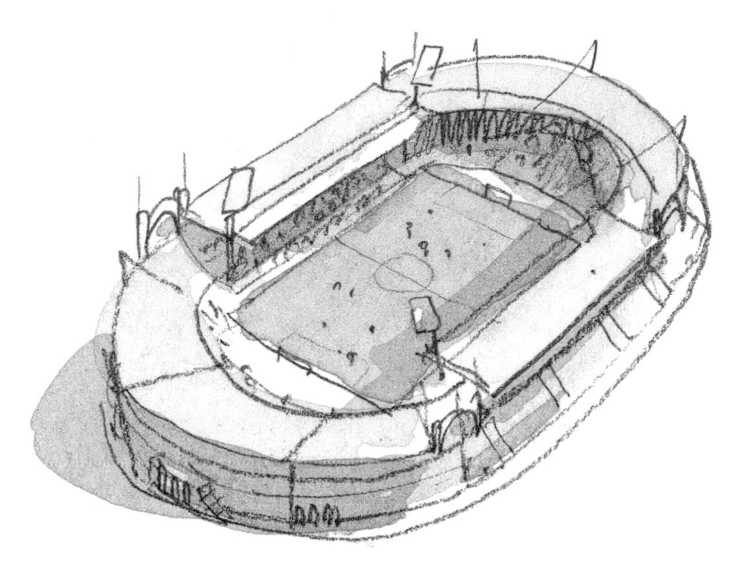

Pour parler de la société, on a imaginé de regrouper les personnes selon leur âge (enfants, « ados », « vieux »...), selon leur sexe (homme ou femme), selon leur métier (ouvriers, employés…), selon leur origine (Français ou étrangers), et enfin selon leur religion (juifs, musulmans, chrétiens…). Bien sûr, on appartient toujours à plusieurs groupes en même temps.

Le métier qu'ils exercent aide souvent les adultes à répondre à la question « qui suis-je ? ».

Trois Français sur cent sont agriculteurs. Les agriculteurs, qui formaient le quart de la population au travail vers 1950, n'en représentent plus que 3 % ! Les employés sont aujourd'hui les plus nombreux : c'est une très, très vaste catégorie.

Où sont passés les ouvriers ? Autrefois, les ouvriers étaient, parmi les travailleurs, le groupe le plus important. C'était le temps des grandes usines qui fabriquaient de l'acier, des vêtements ou des voitures, par exemple. Mais le travail des machines a peu à peu remplacé celui des hommes. Beaucoup de produits sont aussi fabriqués à l'étranger, dans des conditions souvent très pénibles pour les travailleurs, mal payés, et pour beaucoup « moins cher ».

Des millions d'emplois ont ainsi disparus. Comme les agriculteurs, les ouvriers sont devenus une minorité.

Tous pareils ? Évidemment, des différences importantes continuent d'exister entre les Français. Ne seraient-ce que par l'argent qu'ils gagnent, c'est-à-dire par leurs « revenus ». On ne peut pas comparer le salaire d'un employé de commerce aux revenus d'un directeur de banque. Pourtant tous deux sont des employés.

La plupart des Français, cependant, portent des vêtements identiques, ont des voitures qui se ressemblent, regardent les mêmes émissions et les mêmes films à la télévision… C'est pour eux, les « Français moyens », que les supermarchés offrent un fantastique choix de produits que promeut la publicité.

Des riches et des pauvres. Plus de 200 000 familles françaises paient l'« impôt sur la fortune », qui concernent tous ceux qui possèdent au moins 720 000 euros.

En revanche, 1 million et demi de familles sont «réputées pauvres », avec moins de 560 euros par mois et par personne. Plusieurs millions d'actifs, pour une raison ou une autre, ne touchent même pas le « salaire minimum », le SMIC (1 172,74 euros). Il s'agit des travailleurs précaires et des chômeurs. Un « revenu minimum d'insertion », le RMI (412 euros) est versé à environ 2 millions de personnes et le minimum vieillesse, à plus d'un million. Et puis, il y a les « sans domicile fixe », les SDF ...

Santé « à la française », un précieux héritage

Les Français sont très attachés à la Sécurité sociale. Grâce à ce système, tous, riches ou pauvres, ont droit aux mêmes soins.

En forme. « – Comment ça va ? – Ça va. » On n'imagine pas de dialogue plus banal. Et quand ça va moins bien, on se soigne ; mais cela coûte cher. Les dépenses de santé par personne et par mois sont supérieures au salaire minimum. Heureusement, depuis soixante ans, la Sécurité sociale (chacun donne une partie de son salaire pour que tous puissent se soigner) et les mutuelles couvrent la plus grande partie de ces dépenses. Les grands-parents d'aujourd'hui ont connu les premières visites gratuites chez le médecin, ont vu apparaître les hôpitaux modernes. Les pauvres sont presque aussi bien soignés que les riches. Et la France est reconnue comme le pays ayant l'un des meilleurs systèmes de santé du monde.

On grandit ! Les progrès de la médecine, une meilleure hygiène et une alimentation plus équilibrée ont favorisé la croissance des enfants. En 2005, les jeunes Français mesurent 14 cm de plus qu'en 1850. Leur taille moyenne est 1,76 m ; les filles sont un peu moins grandes, avec tout de même 1,64 m.

Voici un exemple de progrès accompli par tout un chacun. Il y a cinquante ans, le magazine féminin *Elle* publiait une enquête restée célèbre depuis. Elle montrait que près d'une femme sur deux ne se lavait les cheveux qu'une fois... par mois. Le croirait-on ? Il est vrai qu'à l'époque, les trois quarts des logements n'avaient ni douche ni baignoire.

On vit de plus en plus longtemps : 83 ans côté fille, 76 ans côté garçon. À sa naissance, un garçon a aujourd'hui 76 ans de vie devant lui, et une fille 83 ans. 83 ans : c'est le record d'Europe. Et ce n'est pas tout, il y a déjà 5 000 centenaires en France en ce début de XXIe siècle.

Ces moyennes cachent cependant de réelles inégalités. On meurt un peu plus tôt dans le nord de la France que dans le Midi. Si l'on a été ouvrier, on vit six ans de moins qu'un cadre, c'est-à-dire un employé qui travaillait dans un bureau.

Record d'Europe d'alcoolisme, champion du monde en consommation de somnifères... La santé des Français pourrait être meilleure encore sans le tabac, l'abus d'alcool ou de certains médicaments.

La consommation du tabac, qui est dangereuse, diminue. La consommation d'alcool baisse, elle aussi, mais les Français détiennent encore le record d'Europe de l'alcoolisme.

Nous détenons un autre record bien étrange. Notre pays est le premier au monde pour la consommation des « psychotropes », c'est-à-dire des médicaments qui agissent sur l'humeur, qui combattent l'insomnie et qui calment l'angoisse. Les Français seraient-ils plus anxieux que les autres peuples ?

Des recherches en cours et... encore un petit effort. On sait très bien soigner la plupart des maladies. Malheureusement, certaines d'entre elles, comme l'hémophilie ou la myopathie, continuent d'entraîner des handicaps graves. D'autres, les maladies de cœur, le cancer ou le sida entraînent encore souvent la mort.

Sur la route, le nombre des accidents mortels et des blessés handicapés s'est réduit de moitié en 25 ans, alors que le nombre des voitures doublait. Cependant, près de 5 000 morts sur les routes par an, c'est beaucoup trop. Les causes des accidents sont connues et répétées sans cesse : la vitesse et l'alcool. Ce qu'on sait moins, parce que personne n'aime en parler, c'est que le nombre des suicides dépasse celui des accidents de la route mortels.

L'École, l'autre héritage historique

Les Français sont également très attachés à leur système scolaire. Tout le monde devrait avoir droit à la même attention et au même enseignement.

19 (dix-neuf !) ans d'école. L'instruction des Français a fait des progrès extraordinaires : il y a cinquante ans, quatre élèves sur cent décrochaient le bac. Aujourd'hui, soixante élèves sur cent l'obtiennent.

C'est obligatoire. À la fin du XIXe siècle, la République a créé l'école pour instruire et éduquer tous les enfants. Mais dans les familles les moins riches, on ne la fréquentait pas au-delà de 12 ans, puis de 14 ans. Les filles étaient alors séparées des garçons.

C'est seulement vers 1960 que tout a évolué : la scolarité obligatoire a été prolongée jusqu'à 16 ans, garçons et filles réunis. Tous les écoliers entrent désormais au collège et la plupart continuent au lycée. Aujourd'hui, un enfant qui entre en maternelle a toutes les chances de fréquenter l'école pendant dix-neuf ans.

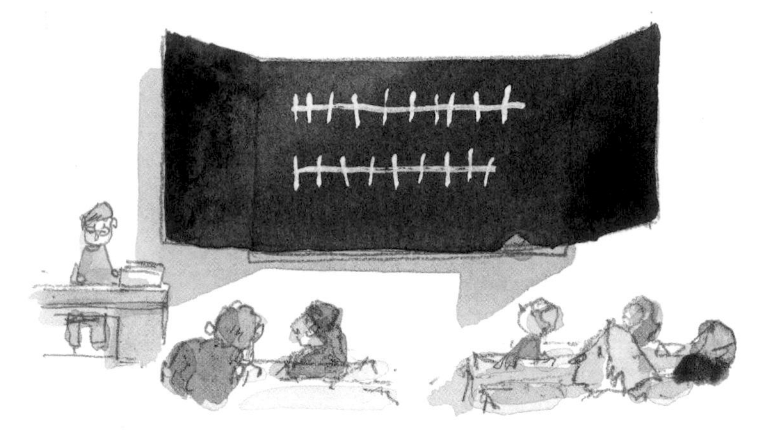

Six jeunes sur dix obtiennent le bac. Passer son bac n'est plus un exploit. Ce diplôme est presque toujours indispensable pour continuer ses études dans l'« enseignement supérieur ». C'est ce que font la plupart des lycéens ; une fois le bac en poche, ils s'inscrivent par exemple à l'université. On compte en France près de 2 millions d'étudiants. Mais on peut aussi se débrouiller très bien sans être « bachelier ».

Aujourd'hui les filles sont meilleures à l'école que les garçons. Cependant elles doivent s'imposer dans la vie professionnelle et la société. Leurs diplômes et leurs capacités ne sont pas toujours reconnus comme ceux des garçons.

Pas tous égaux. Sur dix enfants ayant des parents enseignants ou cadres, neuf vont jusqu'à la classe appelée « Terminale ». Ils passent et obtiennent le bac. On dit qu'ils sont « favorisés ». Par contre, parmi les enfants d'ouvriers, moins de la moitié arrivent jusqu'à cette classe. Ils sont « défavorisés ».

On observe que c'est très, très tôt (entre 6 et 10 ans) que se creusent les différences entre favorisés et défavorisés. L'inégalité, par la suite, est évidente à tous les niveaux...

Parmi les Français, il n'y a presque plus d'analphabètes, c'est-à-dire de gens ne sachant ni lire ni écrire. Mais on a constaté qu'à la sortie de l'école primaire, certains écoliers lisent, écrivent et comptent très mal : peut-être un sur dix. Ceux-là auront beaucoup plus de mal à faire de bonnes études.

Révolution dans la famille

On ne peut pas dire que la famille est en crise. Simplement, elle change, comme tout change.

Moins de mariages, plus de divorces ... mais presque assez d'enfants ! En l'an 2004, on a célébré 260 000 mariages. Trente ans plus tôt, leur nombre était de 400 000.

Quatre enfants sur dix naissent dans des couples non mariés. Le nombre des divorces est en constante augmentation. Quand le maire célèbre dix mariages, le juge prononce quatre divorces.

Aujourd'hui, il naît 1,9 enfant par femme. C'est, bien sûr, une moyenne, mais c'est une moyenne correcte ! En effet, pour que la population se renouvelle, c'est-à-dire que le nombre des naissances compense celui des décès, il faut qu'il naisse au moins deux enfants par couple : deux enfants pour remplacer les deux parents.

En famille ou « en solo » ? 19 millions de Français adultes vivent seuls. Les familles qui n'ont qu'un seul parent (le plus souvent la mère) sont plus d'un million, et elles comptent 2 millions d'enfants. Dans les familles recomposées, les frères et sœurs se mêlent aux demi-sœurs et demi-frères.

Les femmes plus occupées qu'autrefois... Au cours des cinquante dernières années, la situation des femmes en France a beaucoup évolué. Des millions de femmes sont allées travailler dans les bureaux. Aujourd'hui, elles sont presque aussi nombreuses que les hommes à avoir un emploi. On compte 12 millions d'« actives » pour 14 millions d'« actifs ».

Cela ne les empêche pas de faire souvent une deuxième journée de travail à la maison. En France, sur dix hommes, six ne participent pas du tout aux tâches domestiques.

...moins payées que les hommes. En moyenne, les salaires des femmes sont inférieurs d'un quart à ceux des hommes, même lorsqu'elles ont le même diplôme.

Elles sont peu nombreuses encore dans les postes à responsabilités, y compris en politique. La proportion des députées et sénatrices reste faible : la France est au dernier rang en Europe par le nombre de femmes siégeant dans les assemblées élues.

Au quotidien

Le quotidien, c'est la vie de tous les jours. C'est ce qu'on a fait hier : comment, où et avec qui. C'est ce qu'on fera demain. Commençons par l'essentiel : pour vivre, il faut boire et manger.

Le pain, le vin, les frites et les sodas : en 1900, un Français adulte mangeait 900 grammes de pain par jour contre 160 grammes aujourd'hui. Il buvait 150 litres de vin par an ; aujourd'hui, il en consomme 60 litres en moyenne. On se nourrit mieux qu'hier, mais attention ! Les jeunes, eux, consomment trop de graisse et de sucre (de frites et de sodas !), ils sont désormais menacés d'obésité, qui est une vraie maladie.

Vivre chez soi... dans le confort : les Français dépensent 30 % de leur budget pour leur maison, ou plus exactement leur logement. Plus d'un Français sur deux en est d'ailleurs l'« heureux propriétaire ». Les logements sont plus vastes (90 m² en moyenne) et beaucoup plus confortables que ceux d'autrefois. Jusque dans les

années 1950, le plus souvent, il n'y avait ni douche ni baignoire, pas de chauffage central, les WC étaient dans le couloir ou dans le jardin.

Emploi du temps. Dans une journée de vingt-quatre heures, le temps de sommeil représente environ huit ou neuf heures. Le temps de l'école peut paraître très long : il n'occupe pourtant que six heures. Reste le temps libre. Il est consacré aux copains, à la famille ou à des activités culturelles ou au sport.

Vivent les vacances : un heureux record du monde français ! Avec ses cinq semaines (au moins) de congés payés par an, la France détient le record du monde de longueur des vacances.
Mais il faut nuancer cette sympathique performance. Trois enfants sur quatre partent en vacances : ceci veut dire qu'un enfant sur quatre ne part jamais. Il s'agit d'enfants de familles dont les revenus sont insuffisants. Au total, deux Français sur trois vont en vacances, y compris les personnes âgées.

Le grand départ, la « grande migration », a lieu pour beaucoup au même moment : en plein été, avec un pic pendant la première quinzaine du mois d'août. C'est le temps des bouchons sur les routes, puisque presque tous les Français partent avec leur voiture.

Parmi les vacanciers, un tiers choisit d'« aller à la campagne », en général chez des parents, des amis ou dans leurs résidences secondaires. Un tiers opte pour la mer, et le plus souvent pour les joies de la plage. Enfin, les autres se rendent à la montagne, ou encore, mais ils ne sont pas si nombreux que cela, à l'étranger.

Les touristes étrangers apprécient, eux aussi, la richesse de nos paysages. La France reste le pays qui, avec 80 millions de visiteurs par an, attire le plus de touristes au monde.

Vivre en ville

Les villes ne sont pas nées d'hier. Elles sont le résultat de la succession de générations d'habitants, de construction de bâtiments et de croissance des activités. Elles ont connu des hauts et des bas : des incendies, des inondations, des pillages et des crises économiques. Depuis deux cents ans, elles n'ont cessé de grandir.

Trois Français sur quatre habitent en ville.

Les citadins maudissent leur ville : ils pestent contre les difficultés de circulation en voiture, contre la pollution et le bruit, contre l'insécurité. Pourtant, quand on les interroge, le plus grand nombre affirme ne pas vouloir en partir. « La ville », ce ne sont pas seulement les vitrines, les théâtres et toute une vie culturelle qui déploie ses richesses. C'est aussi un lieu d'activité économique, qui procure des emplois.

Le Vieux-Port de Marseille, dominé aujourd'hui par Notre-Dame-de-la-Garde, est le site primitif de la ville, créée par les Phocéens au VIe siècle av. J.-C.

Le port moderne de la Joliette avec ses ferries s'étend à gauche. Au premier plan, le château d'If qui défendait le Vieux-Port.

Les 52 premières villes de France

On connaît sa taille en comptant le nombre des habitants d'une ville et de sa banlieue.

1 Paris 10 562 000
2 Lyon 1 597 000
3 Marseille-Aix-en-Provence 1 398 000
4 Lille 1 108 000
5 Toulouse 917 000
6 Bordeaux 882 000
7 Nantes 674 000
8 Strasbourg 557 000
9 Nice 556 000
10 Grenoble 504 000
11 Rennes 483 000
12 Toulon 478 000
13 Rouen 470 000
14 Montpellier 445 000
15 Nancy 396 000
16 Tours 368 300
17 Valenciennes 368 200
18 Grasse-Cannes-Antibes 364 000
19 Clermont-Ferrand 351 000
20 Caen 345 000
21 Lens 325 000
22 Orléans 324 000
23 Dijon 312 000
24 Angers 309 000
25 Saint-Étienne 307 000
26 Le Havre 290 000
27 Mulhouse 274 977
28 Brest 274 593
29 Reims 272 620
30 Metz 269 413
31 Le Mans 268 000
32 Béthune 266 905
33 Dunkerque 263 000
34 Limoges 231 503
35 Amiens 220 370
36 Besançon 212 844
37 Avignon 212 000
38 Nîmes 209 000
39 Douai 208 793
40 Annemasse 207 000
41 Bayonne 206 000
42 Perpignan 204 000
43 Pau 194 000
44 Poitiers 187 000
45 Lorient 186 000
46 Annecy 179 000
47 Montbéliard 178 000
48 Thionville 176 000
49 Troyes 168 000
50 Saint-Nazaire 160 000
51 Valence 159 000
52 La Rochelle 156 000

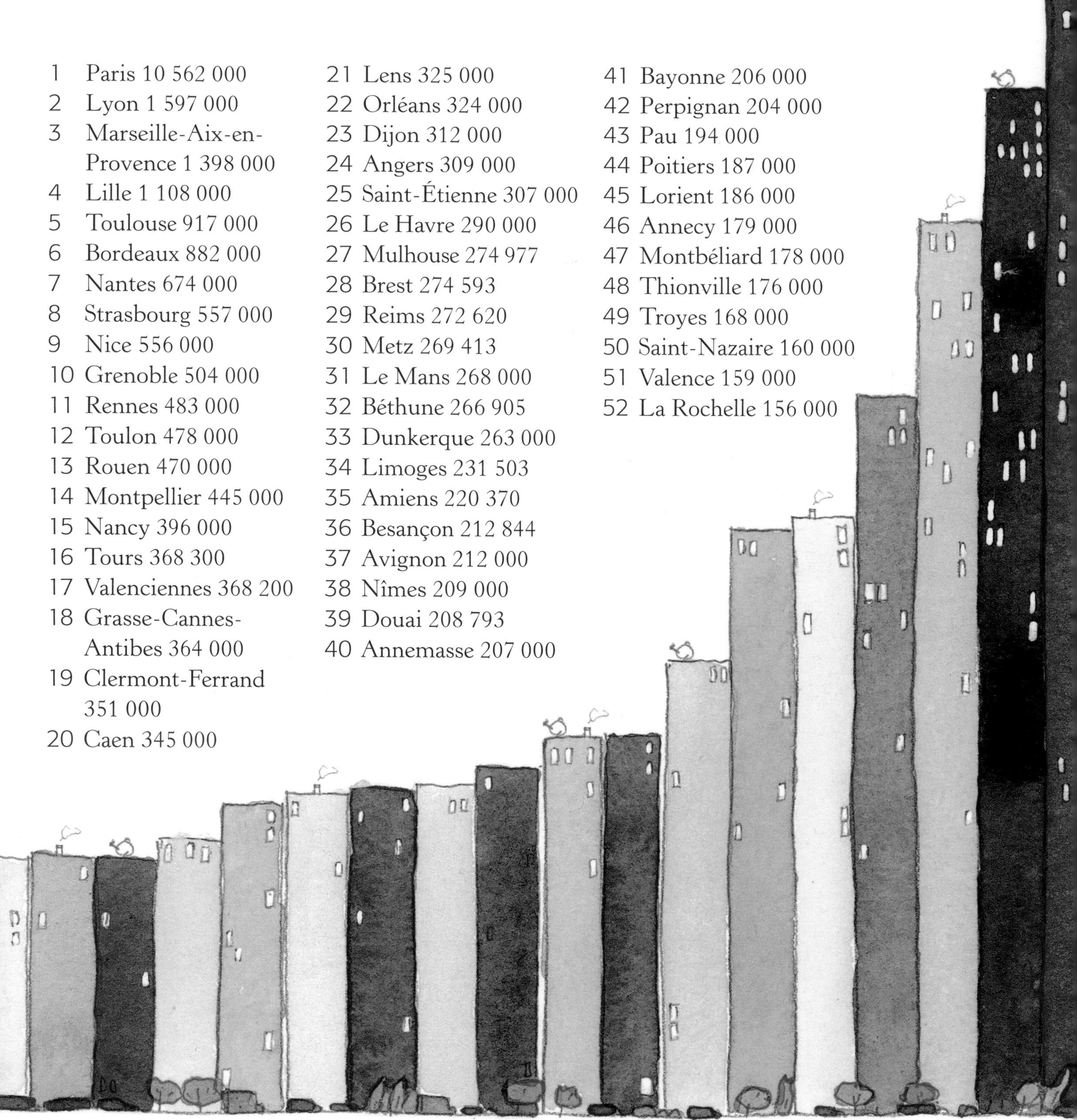

1 000 villes… Le territoire français a près de 1 000 villes, que Paris domine toutes. Pas seulement parce qu'elle est la capitale, mais aussi parce qu'elle est de loin la plus peuplée. L'« agglomération » parisienne compte plus de 10 millions d'habitants. La ville, c'est en effet souvent une agglomération : un regroupement de communes, qui a pris le nom de la commune centrale.

Après Paris, 3 villes de province seulement dépassent, de peu, le million d'habitants : il s'agit de Lyon, Marseille et Lille. Mais 21 villes, qui ont plus de 300 000 habitants, sont de vraies grandes agglomérations auxquelles il ne manque rien. Certaines sont des capitales régionales, toutes sont le siège d'importantes entreprises et d'universités. Toulouse, Bordeaux, Nantes, Strasbourg, Nice et Grenoble se rangent en tête de la liste.

… de toutes tailles. Au-dessous de 100 000 habitants et au-dessus de 20 000, on a affaire à ce qu'on appelle des « villes moyennes ». 180 d'entre elles sont actives et modernes, dotées de tous les équipements indispensables à la population : lycées, hôpitaux, transports collectifs.

Enfin, au-dessous de 20 000 habitants, près de 700 petites villes sont réparties sur tout le territoire. Le plus souvent, elles se trouvent bien intégrées à la campagne environnante.

Laon est une ville moyenne de 30 000 habitants. La cathédrale, construite au Moyen Âge dans la « ville haute », domine la « ville basse » plus récente, représentée au premier plan.

Paris dans ses murs, Paris hors les murs

Le centre-ville de Paris a mis des siècles à atteindre son maximum : 3 millions d'habitants, vers 1930. Depuis, il perd des habitants (2 millions pour le centre en l'an 2005), mais ses banlieues s'étendent. La superficie de ces banlieues est égale à 15 fois celle de la ville. L'agglomération parisienne réunit, on l'a vu, plus de 10 millions d'habitants.

Le palais du Luxembourg est le siège du Sénat. Parisiens et touristes fréquentent le célèbre jardin qui entoure l'ancien palais de Marie de Médicis.

Au Moyen Âge, c'est Paris qui a fait l'unité de la France, par la volonté des rois capétiens qui y résidaient. Depuis, aucune réforme n'a jamais sérieusement entamé son pouvoir politique. Accueillant le gouvernement, l'Assemblée nationale et le Sénat, la capitale a concentré les richesses… et les monuments les plus prestigieux.

Peu à peu les bureaux et les magasins ont remplacé les immeubles de logement. Les habitants qui vivent encore dans la ville sont de catégories sociales diverses, et se regroupent par quartiers. Mais le prix des appartements chasse les moins favorisés hors du centre.

Une ville est toujours formée de plusieurs quartiers. À Paris, la différence entre quartiers est spectaculaire. Le cœur de la ville réunit les ministères et les banques. On y trouve aussi le Quartier latin où sont regroupées plusieurs universités.

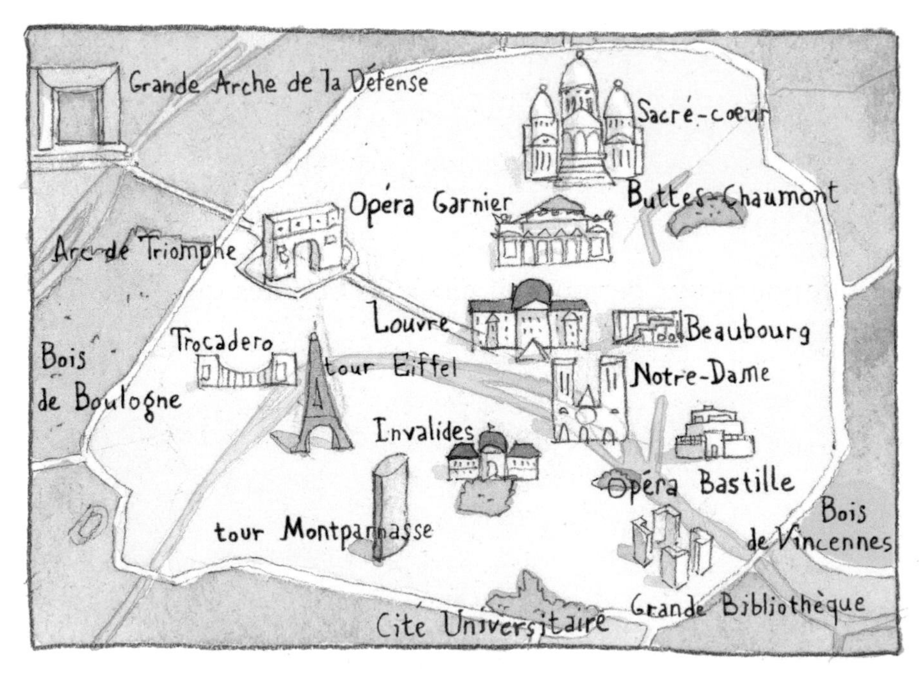

Les plus riches Parisiens ont leurs hôtels particuliers et appartements luxueux dans l'Ouest. Dans l'Est, les employés occupent des immeubles qui ont été rénovés. Autrefois, ce sont les ouvriers qui habitaient là ; ils sont partis en banlieue. Au Sud, les immigrants asiatiques vivent dans une véritable « China Town » (« ville chinoise »), tandis qu'à un autre bout de la ville, Arabes et Africains occupent les immeubles pitoyables, les rues encombrées et vivantes du quartier de la Goutte-d'Or.

Banlieues...

Presque toutes les villes ont des banlieues. Elles se sont peuplées au fur et à mesure que le centre de la ville se vidait : maisons, immeubles et usines s'y sont installés plus à l'aise.

L'image de la banlieue est aujourd'hui plutôt négative. Les médias ne manquent jamais de souligner les « problèmes des banlieues ». Certaines banlieues sont riches ; la plupart sont calmes.

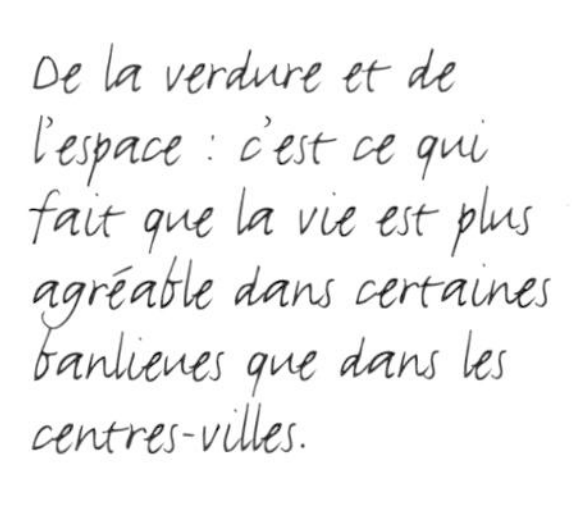

De la verdure et de l'espace : c'est ce qui fait que la vie est plus agréable dans certaines banlieues que dans les centres-villes.

C'est dans les grands ensembles d'habitat collectif que se rencontrent le plus de difficultés. Ces grands ensembles, avec leurs tours et barres d'immeubles, ont été construits entre 1950 et 1960, pour loger de toute urgence les familles qui affluaient vers les grandes villes. Afin de réduire les coûts de la construction, on a réuni trop d'habitants sur un petit espace. Les bâtiments, mal finis, se sont dégradés, faute d'entretien.

Dans ces grandes cités populaires se concentre le plus grand nombre de chômeurs et d' « exclus » de la société. Les immigrés, de toutes les nationalités, y sont aussi souvent majoritaires.

Les jeunes sont les plus touchés par des conditions de vie déplorables. Ils sont souvent en situation d'échec à l'école par manque d'appui familial, ou déjà chômeurs. Parfois des bandes oisives et agressives qui se forment font régner sur tout le voisinage instabilité et insécurité. On tente à présent d'améliorer la situation soit en détruisant les tours, soit en les rénovant !

Au pied des tours

Circulez !

Vivre dans une grande ville, c'est être en perpétuel mouvement, bouger, se déplacer matin et soir.

Un métro parisien centenaire et, de nouveau, des trams... 80 % des Français ont une voiture et l'utilisent chaque jour. Pourtant, dans les grandes villes, circuler en voiture est difficile. Les rues et les avenues sont longuement saturées durant la journée. On se demande ce qui se passerait s'il n'y avait pas de moyens de transport collectif.

La première ligne de métro de Paris a été inaugurée en 1900, dix ans après celui de Londres, dit le « tube », et quatre ans avant celui de New York.

Marseille et Lyon se sont dotées de métros. À la pointe du progrès, le VAL roule sans bruit et... sans conducteur à Lille à Strasbourg et à Toulouse...

VAL à Strasbourg

Enfin, le « tram » ou tramway, vieille invention anglaise, qui circule sur rails en surface, a refait son apparition à Nantes et à Grenoble.

La voiture, une passion : on a calculé qu'elle absorbe en moyenne près de 15 % du budget familial ! On compte environ 30 millions de voitures en état de marche dans le pays, et il s'achète chaque année 2 millions de véhicules neufs. L'automobile règne en maître sur la circulation urbaine. Mais la ville n'était pas faite pour elle, il a fallu qu'elle s'adapte, ce qui n'a pas toujours été réussi.

En ville, il vaut mieux aller à pied, si l'on ne va pas trop loin : à quatre kilomètres/heure, on a des chances de dépasser bus et autos. À vélo, on peut aller plus vite, mais c'est dangereux. Il faut qu'en France, on construise un vrai réseau séparé de pistes cyclables : comme en Hollande, où l'on compte 12 millions de vélos pour 16 millions d'habitants ! Les motos et les scooters ne représentent que 2 % des moyens de transport urbains à Paris, un peu plus dans les villes de province.

Trafic urbain

Alerte. Jadis, l'air des grandes villes était gravement pollué par les fumées du chauffage au charbon des maisons et des usines. Aujourd'hui, le chauffage est modernisé, et les usines, éloignées en banlieue, sont munies de filtres efficaces. La voiture est la principale source de pollution : gaz carbonique et ozone rampent au niveau des piétons.

Les médecins constatent leurs effets nocifs chez les enfants qui souffrent de plus en plus de troubles de la respiration. On a ainsi montré que la proportion d'adolescents atteints d'allergies, d'asthme et de rhume des foins dépassait 15 %. On mesure désormais la qualité de l'air dans les grandes villes, et l'alerte est donnée quand la teneur de l'air en gaz polluants devient insupportable. Les autorités imposent alors une limitation de la vitesse ou même des restrictions.

Nous voulons des arbres ! Le combat pour un meilleur environnement est l'affaire de tous. La présence d'espaces verts, de grands arbres alignés sur les places et le long des avenues est souhaitable. À défaut de purifier l'air, comme on l'a longtemps cru, ils retiennent les poussières, exterminent les microbes et, surtout, ils rafraîchissent l'air de leur voisinage en libérant de l'eau par évaporation.

Les rues interdites aux voitures sont de plus en plus nombreuses. Ce sont des îlots de calme où l'on flâne parmi les boutiques. Ailleurs, le bruit empêche de prendre ce plaisir. C'est pour fuir la pollution, le bruit, le stress que des millions de citadins se jettent en fin de semaine sur les routes à destination de la campagne.

Le parc de la Fontaine, à Nîmes

À la campagne

Pour le promeneur, la campagne, c'est la liberté et l'air pur. Mais la campagne, c'est surtout un paysage façonné depuis des siècles par le travail des hommes et des femmes.

Une exploitation moyenne tenue par un couple d'agriculteurs

Mais où sont les paysans ?

En cinquante ans, le nombre des agriculteurs est passé de trois millions à moins de un million. Aujourd'hui, 600 000 exploitants obtiennent des résultats supérieurs à ceux de leurs parents et grands-parents, bien plus nombreux, tout en cultivant une surface à peu près égale. C'est le résultat de l'emploi de machines et de produits chimiques, comme des transformations du paysage.

D'hier à aujourd'hui... Autrefois, les paysans vivaient pauvrement en travaillant dur sur de petites exploitations. Les paysans d'aujourd'hui sont des agriculteurs professionnels, qui utilisent des techniques de pointe pour la culture et l'élevage. Ils ont des diplômes et un mode de vie moderne.

Parmi ces agriculteurs, on distingue deux types bien distincts : les agriculteurs familiaux et les grands exploitants.

Cinquante vaches et une ferme d'une centaine d'hectares : c'est en moyenne ce que possède l'agriculteur familial. Il exploite son domaine seul grâce aux machines.

Dans sa ferme, il y a souvent une cinquantaine de vaches. L'agriculteur familial gère son entreprise à sur un ordinateur, adhère à un syndicat, et part parfois en vacances.

Comme ses aînés, il est très attaché à sa ferme et prend, par exemple, grand soin de ses bêtes. Mais ses revenus dépendent en partie des primes que lui verse l'Union européenne.

Le grand exploitant emploie des ouvriers, qui travaillent sur des centaines d'hectares. Il cultive du blé, du maïs, des betteraves, ou bien il engraisse des centaines de veaux ou de porcs dans des ateliers immenses. Il peut aussi posséder, dans des vignobles réputés, quelques dizaines d'hectares qui le font vivre largement.

D'immenses silos, des moissonneuses-batteuses qui travaillent ensemble, « en batterie », indiquent que l'on a sous les yeux les terres d'une très grande exploitation.

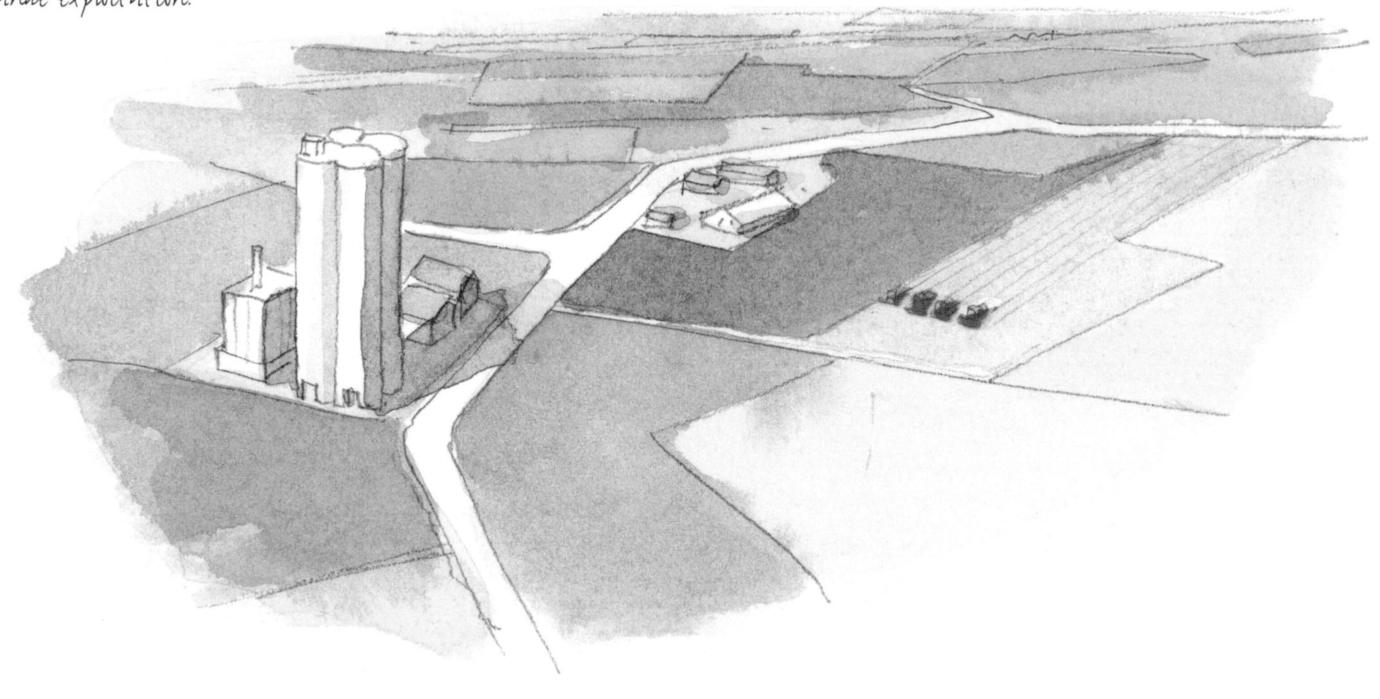

La campagne qu'aiment les Français. Il n'y a pas dans notre pays de nature sauvage, ni de forêt vierge. La trace des activités humaines est visible partout : par exemple, on dit même des forêts qu'elles sont « jardinées ». Des champs cultivés, des prés où paissent des bêtes, des villages : c'est cette campagne-là que les Français apprécient.

Malgré ce qu'on en dit, elle n'est pas trop abîmée. Les agriculteurs ont intérêt à en prendre soin et à ne pas laisser les friches gagner sur les cultures. Pourtant, avec la modernisation, le paysage s'est transformé.

Le village avec l'église subsiste, de même que le bocage, les prés et les vaches. Pourtant, les paysans ont presque tous disparu, remplacés par des citadins qui ont choisi de vivre « au vert ».

Un nouveau paysage : un peu partout, on a réuni les petites parcelles (c'est ce qu'on appelle le « remembrement »), supprimé les anciens chemins et arraché les haies. L'espace est plus ouvert ; il est donc plus facile à travailler avec les machines. Cependant, le ruissellement des eaux, qui gonfle les rivières et provoque des inondations, est lui aussi favorisé.

Plus encore que le paysage, c'est l'environnement qui a été agressé. Les engrais chimiques, répandus en excès, pénètrent dans le sous-sol et se retrouvent dans les nappes souterraines d'eau. Celle-ci, polluée, devient imbuvable. Les pesticides, utilisés contre les maladies et les parasites des plantes, ont éliminé en même temps de nombreuses espèces d'insectes. Jadis, ils nourrissaient les oiseaux, qui se réfugient maintenant en ville.

Un peu de raison ! Pour freiner cette dégradation, on encourage désormais une agriculture qui respecte l'environnement, en employant un minimum de produits chimiques.

Ceux-ci sont même strictement interdits dans l'agriculture dite « biologique ». Les consommateurs apprécient ses produits, même s'ils sont plus chers. Les animaux, herbivores, sont nourris d'herbe et de foin, tandis que les porcs et la volaille consomment le grain cultivé sur place. Malheureusement, ces méthodes restent encore minoritaires.

Vivre au village

Les villages n'ont pas vraiment changé d'aspect. Leurs maisons se pressent le long de la grand-rue ou se dispersent sans trop s'éloigner. Elles ont toutes pour point de repère le clocher de l'église.

Le cœur du village : la mairie, l'école, l'église

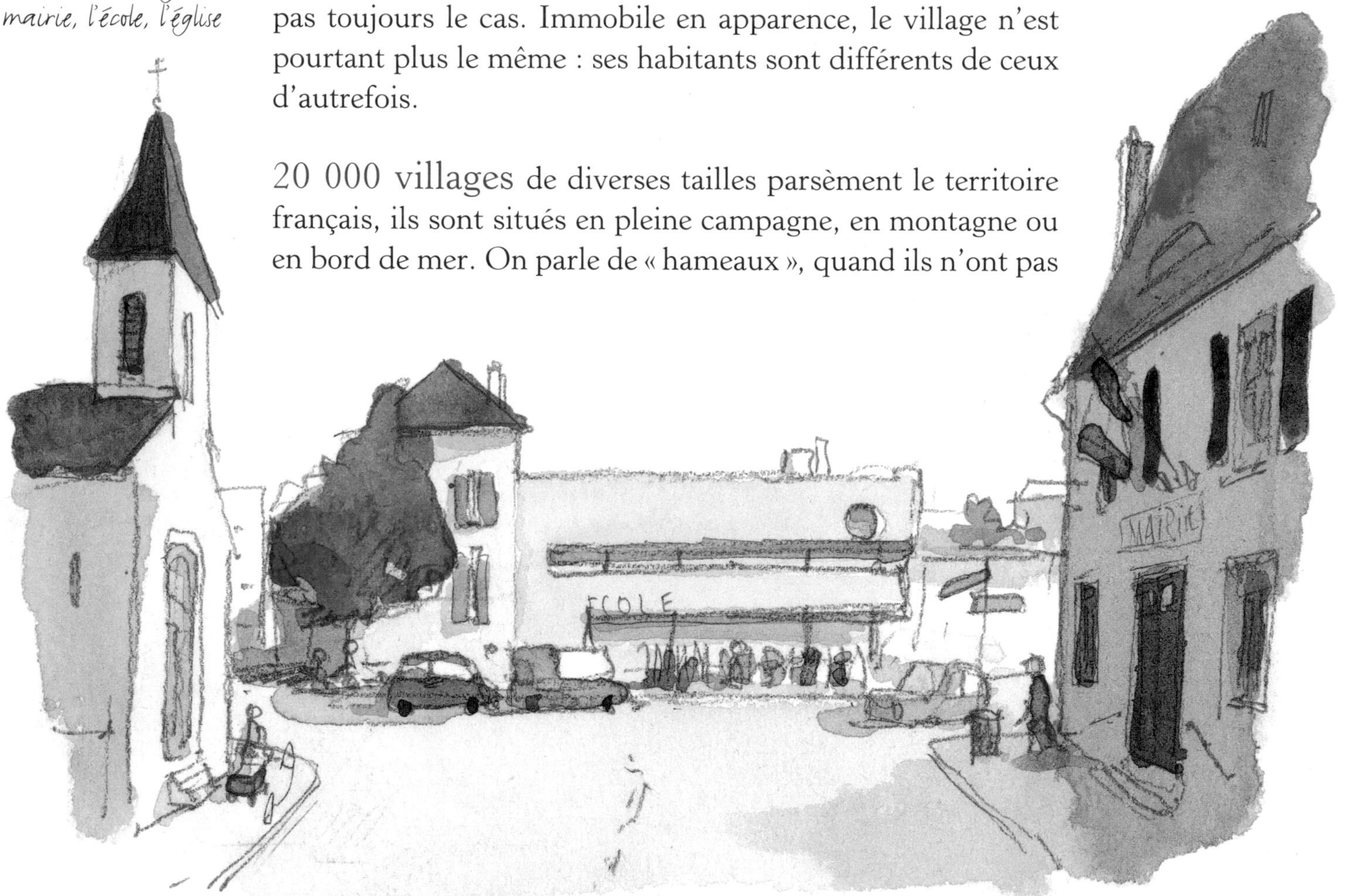

La mairie, modeste, est parfois moins visible, mais ce n'est pas toujours le cas. Immobile en apparence, le village n'est pourtant plus le même : ses habitants sont différents de ceux d'autrefois.

20 000 villages de diverses tailles parsèment le territoire français, ils sont situés en pleine campagne, en montagne ou en bord de mer. On parle de « hameaux », quand ils n'ont pas

de mairie, mais dépendent du chef-lieu de la commune. Selon le chiffre de sa population, le plus petit village de France n'a que cinq habitants, dont trois personnes âgées qui le quittent en hiver pour une maison de retraite.

À partir de 700 habitants, en général, le village dispose d'une poste, d'un médecin, de un ou deux commerçants. L'école (autrefois, chaque village avait son école) est souvent fermée. Il n'y a plus assez d'écoliers qui vivent là. Les élèves sont alors regroupés dans l'école d'un village plus grand, où un car de ramassage les conduit chaque matin.

Seuls certains villages sont désertés.

Sur notre territoire, de très nombreux hameaux en ruines témoignent d'une époque où les paysans pauvres s'installaient à la lisière des bois pour arracher à la terre de quoi vivre. Il y a aussi en France des villages plus grands, où le temps semble s'être arrêté. En les traversant, on est choqué : pas un bruit, les volets sont fermés, trois ou quatre « petits vieux » sont assis sur un banc. Dans des régions peu favorisées par le climat et la nature, comme le Massif central et la Lorraine, ces communes-là sont en majorité. C'est le résultat d'une lente histoire. Pendant plus d'un siècle, les paysans, suivis par les artisans, les commerçants et les ouvriers, ont quitté la campagne pour la ville.

Et ces villages désertés peuvent faire croire au voyageur superficiel que la campagne française se meurt : rien n'est plus faux. Depuis vingt ans, cette migration s'est arrêtée, et plus de la moitié des communes rurales ont vu le nombre de leurs habitants recommencer à augmenter.

La renaissance des campagnes : de nombreux villages, d'où la vie paraissait s'être retirée, retrouvent des forces, avec une population nouvelle. Avec elle, la vie économique et sociale reprend. L'école rouvre, des maisons se bâtissent pour de jeunes couples, de petites entreprises s'installent. Cette population nouvelle ne tombe pas du ciel. Il s'agit évidemment de « gens de la ville » qui ont choisi de bénéficier des avantages de la vie à la campagne.

Ils ont construit une maison selon leurs propres goûts et continuent à travailler en ville. Plus d'une heure de trajet pour parvenir sur leur lieu de travail ne leur fait pas peur. De plus, de nombreux retraités, pas forcément vieux, élisent eux aussi domicile dans le village d'origine de leur famille.

Quand les rats des villes s'installent aux champs, ils modifient peu leur façon de vivre. Ils bénéficient de la modernisation des réseaux d'eau, de gaz et d'électricité. Dans leur maison, ils ont ce que possèdent les citadins : tous les appareils électroniques imaginables. Ils achètent leur nourriture au supermarché le plus proche. Il est vrai que les agriculteurs ne vendent plus beaucoup de lait ou de légumes « au détail ».

Les années passant, les « citadins du village » commencent à participer à la vie de leur commune. Ainsi, lors des élections municipales, peu à peu, des listes se forment avec ces « étrangers » (c'est-à-dire : qui ne sont pas nés au village)... malgré la réprobation des plus vieux. Et, finalement, une nouvelle société se crée, plus dynamique et vivante.

Bien des villages se repeuplent et connaissent de nouvelles activités.

Maisons de vacances et oiseaux de passage. Restent les résidences secondaires : plus d'une famille française sur dix en possède une. C'est beaucoup. Et, plus de la moitié de ces résidences secondaires sont des « maisons de campagne ».

Les unes sont des maisons de famille, inhabitées, rendues confortables pour accueillir parents et enfants pendant les vacances. Les autres ont été achetées ou louées dans les régions touristiques, comme en Provence ou en Normandie ou sur les îles, qui vivent plus des vacanciers que de leur agriculture.

Les « fermettes » et maisons paysannes à rénover ont été si recherchées qu'il n'en reste plus guère à vendre. Elles ont tenté les Anglais et les Hollandais dans l'Ouest, les Allemands dans l'Est et les Européens de toutes nationalités dans le Sud-Est. La campagne française a bel et bien un petit goût d'Europe !

Les « résidents secondaires » sont des oiseaux de passage au village. Ils se tiennent dans leur jardin, participent rarement à la vie locale. On ne les voit qu'à l'occasion du marché ou des fêtes, dont ils sont des clients appréciés. À leur façon, ils enrichissent cependant l'économie locale, ne serait-ce qu'en faisant travailler les artisans. Mais ils entrent souvent en conflit avec les habitants permanents pour des questions de clôtures, de droits de passage, de chemins à entretenir… Bref, on retrouve là le charme de la vie en société.

L'environnement, une affaire de tous les jours

Attention, pollutions !

Il y a la pollution de tous les jours : on s'y résigne plus ou moins (le moins possible). Et puis, il y a les pollutions catastrophiques, spectaculaires, qui mettent en danger les hommes, les végétaux et les animaux. Ni pollution ni catastrophes ne s'arrêtent aux frontières.

Des catastrophes. À Tchernobyl, en Ukraine, le 25 avril 1986, l'explosion d'un réacteur nucléaire a anéanti toute vie alentour, entraîné des milliers de morts et répandu sur l'Europe un nuage radioactif.

Quant aux marées noires, elles souillent les rochers et les plages. En 1999, le pétrolier *Erika*, en sombrant au large de la France, a déversé son fuel sur 400 kilomètres de côtes entre la Bretagne et la Gironde, et « mazouté » à mort 200 000 oiseaux de mer. En 2002, la marée noire du *Prestige* a abîmé la côte atlantique d'Espagne et de France. Ce scénario se répète trop souvent, et l'histoire finit toujours de la même façon : malgré les efforts déployés pour réparer les dommages, le littoral en garde la trace durant des années.

Un responsable : le besoin d'énergie...

C'est surtout le transport maritime des produits pétroliers qui est dangereux. Des capitaines peu scrupuleux trouvent pratique de nettoyer leurs cuves à pétrole en mer. Des bateaux vétustes ne résistent pas aux tempêtes et perdent leur cargaison en sombrant.

Plus grave encore, des millions de voitures, de camions et d'usines dégagent des gaz nocifs qui polluent notre environnement... mais risquent aussi de rendre la planète invivable. Par un traité signé à Kyoto, 30 pays industrialisés se sont engagés à réduire leurs émissions de gaz. On sait que ceux-ci réchauffent l'atmosphère et entraînent un changement dramatique du climat sur Terre. Il était temps d'agir !

Que faire des déchets ? Plus on produit, plus on consomme, et plus les déchets s'accumulent. Les déchets domestiques (1 kilo par personne et par jour dans les villes) sont éliminés assez facilement dans les usines d'incinération.

Les détritus de l'industrie, surtout ceux des usines chimiques, sont bien plus encombrants. La question des déchets des centrales nucléaires est de loin la plus angoissante. Où et comment stocker ces sous-produits qui vont continuer à irradier pendant des centaines d'années ?

« Pays d'eau, pays riche »

Nous faisons partie de ces pays que la nature a généreusement pourvue. On ouvre un robinet, et de l'eau potable en coule. Cet accès si facile à l'eau, dans le monde, une personne sur trois ne l'a pas.

L'eau du ciel : des chiffres étonnants. La France reçoit chaque année 800 litres de pluie ou de neige par m^2, soit 450 milliards de m^3 d'eau. Plus de la moitié s'évapore.

Restent 200 milliards de m^3. Nous n'en consommons que 30 milliards par an. Pour nos besoins de tous les jours, 3 milliards de m^3 suffisent. L'agriculture en consomme autant pour irriguer les cultures. L'industrie est, elle, plus gourmande, avec 21 milliards de litres. Par exemple, pour fabriquer 1 kilo de papier, une usine consomme 150 litres d'eau. Pour faire 1 kilo d'acier, il faut 500 litres.

Eau pure ? L'eau vraiment pure n'existe plus dans la nature. Dès qu'un fleuve aborde les zones habitées et les alignements d'usines, la pollution de l'eau prend des proportions inouïes.

En Bretagne, les résidus des élevages industriels, ajoutés aux engrais et aux pesticides, ont rendu l'eau des rivières totalement impropre à la consommation.

Il faut dépenser beaucoup d'argent pour capter l'eau, la traiter dans des stations d'épuration, la transporter, la distribuer. Parfois elle n'a peut-être pas très bon goût, mais cette « eau du robinet » est potable.

Cependant l'eau n'est pas seulement vitale pour l'homme et une matière première rare dans bien des pays : c'est un bien commun à tous. Partager l'eau dont dépend la vie même sur notre planète sera l'enjeu majeur du XXIe siècle. On commence enfin à en prendre conscience.

Protéger, sauvegarder, aimer. Chacun doit veiller à la sauvegarde de la planète, en protégeant les espaces naturels et les paysages qu'il visite ou qu'il habite. Chacun, c'est toi, tes parents, tes copains : chacun, c'est donc nous tous !

Comment agir ? En respectant les lois qui protègent l'environnement. Il est interdit d'arracher des végétaux rares (l'orchidée sabot de Vénus, l'edelweiss, le chardon bleu...), il est

interdit de détruire les œufs des oiseaux. Il est même déconseillé de s'approcher de leurs nids. Certaines espèces comme l'océanite tempête, qui est dessinée ici, vivent au large. Elles ne reviennent qu'une fois par an se poser sur les îles proches du littoral, pour y pondre une couvée de un ou deux œufs. Si les oiseaux sont dérangés, ils abandonnent leur couvée !

Il est également interdit de maltraiter les animaux sauvages, apprivoisés ou domestiques !

Espaces... Il y a des zones particulièrement protégées. C'est, par exemple, le cas de la montagne, qui a besoin d'un traitement à part.

On a délimité sur notre territoire 7 parcs nationaux, parmi lesquels le parc de la Vanoise et le parc des Pyrénées ou celui de Port-Cros en Méditerranée. Ils ont pour vocation la protection du patrimoine naturel.

Les ballons des Vosges, le Vercors, les volcans d'Auvergne, la Camargue, les Landes, visités ensemble dans ce livre, sont situés dans quelques-uns des 40 parcs régionaux de France.

... et espèces sous haute protection. On parle beaucoup des espèces en voie de disparition. Chez nous, pas d'éléphants, pas de rhinocéros blancs ni de tigres menacés comme dans d'autres parties du monde ; c'est beaucoup moins spectaculaire. Le problème est cependant tout aussi authentique, au point qu'on peut se demander si certaines populations animales ne vont pas disparaître, faute de pouvoir continuer à se reproduire.

Les dinosaures ont disparu il y a 65 millions d'années, victimes sans doute de catastrophes naturelles mais, aujourd'hui, c'est l'homme qui est responsable de l'extinction de certaines espèces. On a identifié en France 62 animaux et 141 végétaux menacés : la loutre, par exemple, la tortue d'Hermann, le papillon Apollon.

Le retour des fauves. Lorsqu'une espèce a disparu, faut-il à tout prix la faire réapparaître ? Fallait-il réintroduire des loups et des ours en France ? Quelques petites meutes de loups, venus d'Italie, se sont installées dans les Alpes. Elles font de gros dégâts dans les troupeaux de brebis, provoquant la colère des bergers. Quant aux ours, qu'on est allé chercher dans les Balkans, vont-ils se reproduire dans les Pyrenées ? La présence de ces fauves n'est pas une question essentielle. Ce qui est vital, c'est de maintenir la diversité des espèces végétales et animales.

Prendre son temps... Pour aimer vraiment la nature, c'est bien de prendre le temps d'observer et de chercher à comprendre ce qui s'y passe. Rien ne vaut une randonnée à pied pour apprendre à regarder les paysages comme pour rencontrer les autres.

Glossaire

A

Actif/active. Personne qui a un emploi ou qui cherche un emploi.

Activités économiques. L'agriculture, l'industrie, le commerce et les services sont des activités économiques. On emploie l'expression au singulier pour les désigner toutes en même temps.

Affluent. C'est un cours d'eau qui se jette dans un autre cours d'eau, en général plus important.

Agglomération. Une agglomération, c'est l'ensemble constitué par une ville et ses banlieues.

Agriculture. On désigne par ce mot le travail de la terre pour produire des céréales, des légumes, des fruits et élever des animaux. Un *agriculteur* est une personne qui travaille dans l'agriculture.

Agroalimentaire. L'agroalimentaire, ce sont toutes les industries qui transforment les productions agricoles, avant leur mise en vente : par exemple, transformation de la pomme de terre en flocons de purée.

Alluvion. Dépôt laissé par les eaux.

Altitude. Hauteur d'un lieu par rapport au niveau de la mer.

Ancien Régime. Monarchie française, période qui s'étend de la fin du Moyen Âge à la Révolution de 1789.

Amont/aval. Un cours d'eau coule de l'amont vers l'aval : du haut vers le bas.

Anfractuosité. Creux profond dans de la roche.

Assemblées élues. Ce sont toutes les assemblées constituées d'élus, qui représentent les citoyens. Par exemple : conseil municipal ou régional, Assemblée nationale.

B

Baie. Une baie, comme un golfe, est une large ouverture de la terre sur la mer. Par exemple, la baie du Mont-Saint-Michel et le golfe de Gascogne.

Balnéaire. Ce terme vient du mot « bain ». Une station balnéaire est située au bord de la mer et aménagée pour les vacances.

Banlieue. Au Moyen Âge, la terre qui était soumise à l'autorité d'un seigneur s'étendait sur une « lieue ». Le mot « banlieue » vient de là : il désigne l'ensemble des communes urbaines qui entourent une ville.

Budget. Ensemble des revenus et des dépenses d'une famille comme d'un État, et façon de les gérer.

C

Cadre. Employé dont le travail consiste notamment à diriger une ou plusieurs personnes.

Caduque. Se dit d'un feuillage qui ne dure qu'une saison.

Calcaire. C'est une roche formée au fond des océans par couches superposées.

Catégorie. Une catégorie, c'est un groupe de personnes qui ont au moins une chose en commun (par exemple, le métier ou l'âge).

Cap. C'est une pointe de terre qui s'avance dans la mer.

Capitaux. Ce sont l'ensemble des biens possédés par une personne ou une entreprise, et qui lui rapportent un revenu.

Centennal. Événement qui revient tous les cent ans. Par exemple : on parle de « crue centennale ».

Centrale nucléaire ou atomique. C'est une usine où l'on produit de l'électricité d'origine nucléaire.

Chef-lieu. Un chef-lieu est le lieu central d'une commune, d'un département ou d'une région.

Chenal. Un chenal, c'est un canal.

Chômage. Situation d'une personne privée d'emploi, mais aussi manque d'emplois dans une ville ou dans une région, ou dans un pays. Un *chômeur* est une personne qui a perdu ou qui n'a pas d'emploi, de travail.

Citadin. Synonyme d'urbain : « qui appartient » ou « qui vient de » la ville.

Cité. Synonyme du mot « ville ». Une cité c'est aussi un grand ensemble de « logements à loyer modéré » (HLM). On parle parfois des « cités » pour désigner les « quartiers en difficultés » ou « quartiers sensibles ».

Citoyen. C'est une personne qui, en votant, participe à la vie démocratique d'un pays.

Climat. C'est le temps qu'il fait dans un endroit pendant un an, et la façon dont s'y succèdent le froid, la chaleur, la pluie et le vent.

Commune. Au Moyen Âge, une commune était une ville qui était affranchie d'un seigneur. Aujourd'hui, une commune est un village, un bourg ou une ville dirigé par un maire et un conseil municipal élu. Il y a en tout 36 000 communes en France.

Communication. Ensemble de mouvements de personnes, de choses ou d'informations qui circulent.

Consommer. Consommer, c'est user de quelque chose : de l'air, de l'eau mais aussi de produits que l'on achète.

Continent. C'est l'une des cinq parties monde. L'Eurasie (Europe et Asie), l'Afrique, l'Amérique, l'Océanie et l'Antarctique sont les cinq continents qui forment la Terre.

Contrefort. Premières hauteurs annonçant une montagne. On parle aussi de « piedmont ».

Cristalline. Une roche cristalline est issue des profondeurs de la Terre et formée de cristaux. Comme le granite.

Crise économique. Cette expression désigne l'ensemble des déséquilibres qui ralentissent la croissance d'un pays ou d'une région.

Croissance. On parle de croissance et on ajoute parfois « économique » pour évoquer l'augmentation des richesses d'un pays ou d'une région. De façon plus générale, croissance signifie augmentation ou hausse de quelque chose : croissance du nombre d'habitants d'une ville, par exemple.

Croupe. Sommet arrondi d'une colline ou d'une montagne.

Crue. Hausse du niveau d'un cours d'eau, qui peut entraîner l'inondation des zones alentour.

Culture. Ce mot a deux sens très différents l'un de l'autre :
- l'ensemble des idées, des œuvres d'art, de la façon de vivre des habitants d'un pays.
- l'agriculture

D

Débit. Le débit c'est la quantité d'eau qui s'écoule en une seconde. Par exemple : le débit d'un fleuve.

Déforestation. Destruction des forêts.

Défrichement. Travail d'un terrain pour le rendre cultivable.

Delta. C'est un triangle formé par les alluvions d'un fleuve à son embouchure.

Dénivellation. C'est la différence d'altitude entre deux points.

Densité de population. Nombre d'habitants au km^2 : c'est le nombre de personnes qui vivent sur une superficie d'un kilomètre sur un kilomètre.

DOM (Départements d'outre-mer). Ce sont la Guadeloupe, la Martinique, la Réunion et la Guyane.

Drainer. Drainer, c'est assécher un terrain gorgé d'eau en y creusant des canaux.

E

Éboulis. Accumulation de débris, rocheux, par exemple.

Économie. Ensemble des activités de production, de commerce, de service et de consommation d'un pays.

Écorce terrestre. Ensemble des roches qui couvrent le globe, qui forment les continents et le fond des océans.

Effet de serre. Phénomène dû à l'émission de gaz, qui entraîne le réchauffement de la Terre.

Embouchure. Une embouchure, c'est l'endroit où un cours d'eau se jette dans la mer ou dans un lac.

Émigrant/émigré. Personne qui quitte un pays pour s'installer dans un autre.

Employé. Personne qui travaille dans une administration, un commerce ou une entreprise, et qui touche un « salaire ».

Énergie. Force ou puissance tirée de différentes sources : charbon, pétrole, atome, vent, cours d'eau.

Engrais. Substance utilisée pour enrichir le sol. Les engrais peuvent être naturels (comme le fumier ou le compost) ou artificiels (nitrates, phosphates, potassium).

Environnement. Ensemble des conditions de vie d'un être vivant : plante, animal, être humain.

Équateur. Cercle imaginaire à égale distance du pôle Nord et du pôle Sud.

Équinoxe. Moment de l'année où la nuit dure le même temps que le jour. Les équinoxes de printemps et d'automne marquent le début de ces saisons.

Érosion. Usure lente des reliefs par les eaux, les glaciers et le vent.

Estuaire. Partie de l'embouchure d'un fleuve qui subit l'influence de la marée.

Exclus. Ensemble des personnes obligées de vivre en marge de la société. Par exemple, les SDF, les « sans domicile fixe », mais aussi tous ceux qui ont des revenus insuffisants pour vivre correctement.

Exploitation agricole. Étendue de terre travaillée par un agriculteur.

Exportation. Vente de produits à l'étranger.

Exposition. Façon dont un lieu est orienté. Une maison « orientée » au sud est exposée au soleil.

Extension. Agrandissement, augmentation.

F

Falaise. Côte abrupte façonnée par la mer.

Fertile. Se dit d'une terre qui produit facilement et « en abondance » des céréales, des fruits et légumes. *Fertiliser* c'est rendre une terre fertile.

Friche. Terre non cultivée.

Frontière. Limite entre deux États.

Garrigue. Couverture inégale de végétation méditerranéenne telle que le thym ou les chênes verts.

Glaciation. Période préhistorique froide durant laquelle les glaciers se sont beaucoup étendus.

Golfe. Voir le mot baie.

Gorge. Vallée très encaissée.

Gouffre. Vaste et profond trou creusé dans la roche calcaire. Le gouffre de Padirac est, par exemple, l'un des plus spectaculaires de France.

Gouvernement. Ensemble des personnes qui détiennent le pouvoir de diriger l'État.

Granite. C'est une roche cristalline qui vient des profondeurs de la Terre.

Gulf Stream. Courant chaud qui naît dans la mer des Antilles et qui, après avoir traversé l'Atlantique Nord, réchauffe les côtes de l'Europe occidentale.

H

Hectare. Un hectare, c'est une unité de mesure qui compte 100 m sur 100 m, c'est-à-dire à peu près la surface d'un terrain de football.

Hydraulique. Se dit de ce qui vient de l'eau.

Hydroélectricité. Production d'électricité à partir de l'eau courante.

I

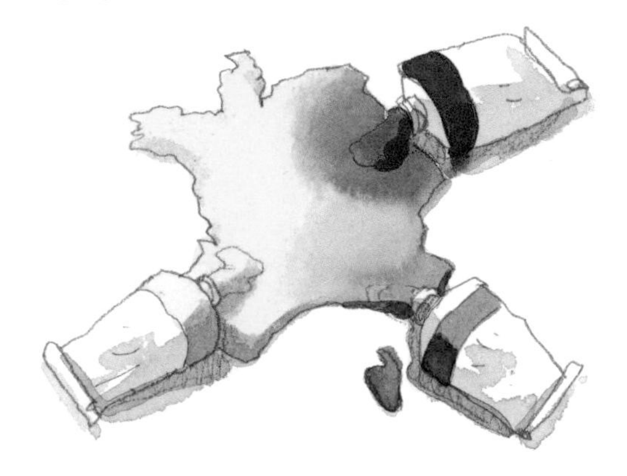

Immigrant/immigré. Personne qui vient s'installer dans un pays différent de celui où elle est née.

Industrie. L'industrie, ce sont toutes les activités qui permettent de fabriquer en grande quantité des objets ou de produire de l'énergie.

Irrigation. Arrosage de plantations sur une grande superficie.

Irradier. Irradier, c'est propager de la radioactivité.

L

Lave. Roche en fusion qui sort d'un volcan.

Ligne de crête. C'est la ligne reliant les plus hauts sommets d'une montagne.

Littoral. Le littoral, c'est la côte, c'est-à-dire le bord de mer.

M

Majorité. Le plus grand nombre, plus de la moitié de quelque chose : par exemple d'un ensemble de personnes. La majorité électorale, c'est la moitié des votants plus une voix.

Maquis. Broussaille épaisse et épineuse couvrant les pentes de la montagne méditerranéenne.

Marais salants. Marais aménagés pour produire du sel à partir de l'eau de mer. En Camargue, on parle de « salines ».

Marée. Variation journalière du niveau de la mer.

Massif. Ensemble montagneux de forme massive.

Matières premières. Matières à partir desquelles on produit des objets ou de l'énergie. Par exemple : pétrole, minerai de fer ou bois.

Maximum. Le plus possible.

Méridional. Orienté au sud ou venant du sud.

Métropole. Très grande ville.

Microclimat. C'est un climat particulier à un lieu.

Migration. Déplacement de population humaine ou animale.

Milieu naturel. On parle de « milieu naturel » pour évoquer l'ensemble des caractéristiques naturelles d'un lieu : nature du sol, relief, climat et végétation.

Minimum. Le moins possible.

Modernisation. Adaptation d'un pays, d'une région ou d'une entreprise aux évolutions des techniques, de l'économie et de la société.

Moyen Âge. Période qui débute à la fin de l'Empire romain et qui se clôt à la Renaissance au XVe siècle. C'est l'époque où la monarchie se met en place, où le christianisme se diffuse dans toute l'Europe, où les seigneurs construisent des châteaux forts, les moines, des abbayes ; et les évêques, des cathédrales.

Moyenne. Une moyenne est un nombre obtenu par une division. Par exemple, on divise un nombre d'objets que détient un groupe par le nombre de personnes qui forment ce groupe. Ainsi, s'il y a 10 pommes à partager entre 3 enfants, chaque enfant aura 3 pommes « en moyenne ». Il en restera une à partager… « En moyenne », aujourd'hui, une femme française a 1,9 enfant. Ce chiffre a été obtenu en divisant le nombre total d'enfants nés en 2004 par le nombre de femmes en âge d'avoir des enfants. Mais une femme ne peut évidemment avoir qu'un « nombre entier » d'enfants.

N

Nationalité. Appartenance d'une personne à un État.

Naturalisation. Fait d'obtenir une nationalité.

Niveau de vie. Argent et revenus dont dispose une personne ou une famille pour vivre et satisfaire ses besoins.

Nucléaire. Atomique.

Occident. L'Occident, c'est l'Ouest. L'Occident c'est aussi l'ensemble des pays d'Europe et d'Amérique du Nord.

Occidental. Orienté à l'ouest ou venant de l'ouest.

Orient. L'Orient, c'est l'Est. L'Orient c'est aussi ce qui est à l'est de l'Europe : Moyen-Orient, régions de la Méditerranée orientale et du golfe Persique. On parle d'Extrême-Orient pour désigner le sud-est de l'Asie (Inde, Chine, Japon…).

Oriental. Orienté à l'est ou venant de l'Est.

Originelle (forêt). C'est la forêt primitive, celle qui était là avant l'exploitation des arbres par les hommes.

Outre-mer. Signifie « au-delà des mers » et se dit par exemple des terres lointaines qui font partie de la France : les « territoires d'outre-mer » (TOM) ou « départements d'outre-mer » (DOM).

P

Patrimoine de l'humanité. Héritage (œuvres d'art, créations, inventions et curiosités naturelles ou paysages) faisant partie de la richesse commune à tous les hommes du monde. Pour parler de la richesse d'un pays, on parle parfois de « patrimoine national ».

Pays. Territoire limité par des frontières et dirigé par un gouvernement. Un pays est un État.

Paysage. Ensemble de ce qu'on voit à partir d'un site : arbres, champs, rivières, habitations, routes…

Paysan. Homme qui cultive la terre, agriculteur.

Péninsule. Grande presqu'île.

Persistantes (arbre à feuilles). Arbre qui reste toujours vert, ses feuilles se renouvelant sans cesse.

Pesticides. Produits chimiques utilisés par les agriculteurs pour éliminer les parasites : insectes, champignons ou mauvaises herbes.

Peuple. Ensemble des habitants d'un pays.

Piedmont. « Au pied d'une montagne » : un piedmond est une première hauteur qui précède la montagne elle-même.

Plaine. Région plane où l'eau coule à fleur de sol.

Planisphère. Carte représentant l'ensemble du monde.

Plateau. Région plane avec des rivières encaissées.

Pôles. Points situés au nord et au sud du globe, autour desquels la terre tourne sur elle-même.

Pollution. La pollution, c'est tout ce qui provoque la dégradation d'un milieu naturel (eau, terre, air, végétation). Les fumées et résidus d'usines, les gaz que produisent les voitures, les déchets urbains et les engrais sont les grands responsables de la pollution.

Population. Ensemble des habitants d'une ville, d'un pays, d'un continent ou du monde.

Pourcentage ou %. « Pour cent » s'abrège par le signe %. On compte en pourcentage pour simplifier la réalité. Si l'on dit que 75 % des Français sont des citadins, cela signifie que pour chaque tranche de 100 Français, 75 habitent en ville et 25 à la campagne. Lorsque l'on dit que les Français consacrent 30 % de leur budget à leur logement, cela signifie que, s'ils n'avaient que 100 euros par mois à dépenser, ils en dépenseraient 30 pour payer leur loyer, ou pour acheter un appartement, une maison.

Pouvoir politique. Puissance de ceux qui gouvernent un État, un pays, une région.

Précipitations. Les précipitations, c'est l'eau qui tombe sous forme de pluie, de neige ou de grêle.

Préhistoire. Période de l'histoire des hommes avant l'invention de l'écriture.

Presqu'île. C'est « presque une île » : pointe de terre qui s'avance dans la mer.

Production. La production d'un pays ou d'une région est l'ensemble des richesses réalisées par son agriculture, son industrie,
ou ses services.

Protocole de Kyoto. 160 pays ont rédigé ce traité qui vise à réduire les émissions de gaz à effet de serre qui entraînent le réchauffement de la Terre.

R

Radioactivité. La radioactivité est l'émission de rayonnements nucléaires, souvent très nocifs pour les êtres vivants.

Rang. Un rang, c'est une place dans une liste. Si on dit que la France est au 20e rang par sa population, cela signifie qu'elle est à la 20e place dans le monde par le nombre de ses habitants, qu'il y a 19 pays au monde plus peuplés que la France et qui se situent avant elle.

Reboiser. Planter des arbres pour reconstituer une forêt.

Recensement. Comptage de la population d'un pays.

Réchauffement de la Terre. La pollution provoque le réchauffement du globe. Notre planète se réchauffe à cause des pollutions humaines (gaz, destruction de la couche d'ozone).

Région. Une région est une partie d'un pays.

Relief. Le relief, c'est ensemble des inégalités (« creux » et « bosses » : vallées et montagnes, par exemple) de la surface du globe, d'un pays ou d'une région.

Remembrement. Regroupement des parcelles de différentes propriétés afin de faciliter la culture des champs.

Rendement. Quantité de blé, de pommes de terre ou de maïs, par exemple, produite sur un hectare en un an ; ou nombre de litres de lait produits par une vache en un an.

Réseau. Entrelacement formé par des voies de circulation ou de communication : réseau routier, réseau d'égouts, réseau du téléphone…

Ressources naturelles. Richesses contenues dans le sous-sol : minerais, pétrole, charbon.

Retraite. Moment de la vie où on s'arrête de travailler tout en touchant une pension, de l'argent.

Revenu par habitant. Somme d'argent dont dispose, en moyenne, une personne.

Risque naturel. Risque ou danger que se produise une catastrophe provoquée par les forces naturelles (séismes, tornades, sécheresses, inondations).

Risque technologique. Risque ou danger que se produise une catastrophe provoquée par des techniques mal maîtrisées : catastrophe nucléaire de Tchernobyl, par exemple.

Roches. Ensemble des minéraux formant l'écorce terrestre.

Rural. « Qui appartient à » ou « qui est de » la campagne : maisons, paysages, façons de vivre.

Ruissellement. Écoulement naturel de l'eau à la surface du sol après la pluie.

S

Salaire. Paye d'un salarié : argent qu'il gagne par an ou par mois
en travaillant.

Salaire minimum. Un employeur n'a pas le droit de payer un salarié au-dessous du salaire minimum
de 450 euros par mois.

Schistes. Ce sont des roches feuilletées. Les ardoises, par exemple, sont des schistes.

Sécheresse. Période de temps très sec. On se souviendra encore longtemps de celle de l'été 2003.

Sécurité sociale. Organisation qui assure le remboursement total ou partiel des soins médicaux aux travailleurs et à leur famille en cas de maladie, et qui leur garantit une retraite.

Sédentaires. Se dit des animaux ou êtres humains qui restent sur place, qui ne se déplacent pas.

Sédiment. Dépôt laissé par l'eau (mer), la glace (glacier) ou le vent.

Sédimentaire (couche). Roche formée par des sédiments, le plus souvent marins.

Septentrional. Orienté au nord ou venant du nord.

Services. Activité économique facilitant la vie quotidienne des gens (banques, écoles, hôpitaux...).

Silo. Réservoir pour conserver les denrées agricoles (céréales et graines).

Société. Ensemble de personnes vivant en un groupe organisé. Par exemple : la société française.

Solidarité. Relation d'aide mutuelle ou réciproque entre des personnes.

Soulèvement alpin. Période pendant laquelle les Alpes se sont formées (à l'ère tertiaire), lors de la rencontre des plaques africaine et européenne.

Statistiques. Chiffres calculés par des spécialistes pour étudier la société.

Subtropical(e). Se dit de ce qui est autour ou proche des tropiques du Cancer ou du Capricorne.

Superficie. Étendue, surface.

T

Taux de mortalité. Nombre de décès pour 1 000 habitants : nombre de personnes qui meurent sur un ensemble de 1 000 personnes.

Taux de natalité. Nombre de naissances pour 1 000 habitants.

Technologie(s). Ensemble des techniques de production industrielle.

Télécommunications. Communications à grande distance.

Terrasses (culture en). Plates-formes de terre retenues par un muret, où l'on pratique la culture de vignes, par exemple.

Territoire. Étendue façonnée par un peuple au cours de son histoire.

TOM (Territoire d'outre-mer). Territoires lointains appartenant à la France. Par exemple : la Nouvelle-Calédonie ou Wallis-et-Futuna.

Tropiques. Les tropiques du Cancer et du Capricorne sont deux cercles imaginaires à égale distance de l'équateur, et qui ont le soleil à la verticale au moment du solstice. *Tropical(e)* se dit de ce qui est situé sous les Tropiques.

U

Union européenne. Union des principaux États d'Europe : commencée avec 6 États en 1957, la Communauté européenne s'est élargie à 12, puis à 15 États. Elle en compte aujourd'hui 25 et se nomme Union européenne. L'euro est devenu la monnaie de la plupart des États de l'Union.

Urbain(e). « Qui appartient à » ou « qui est de » la ville.

Urbanisation. Construction ou extension d'une ville. *Urbanisé* se dit de ce qui est construit dans la ville ou autour de la ville.

V

Val. Vallée ou dépression allongée.

Versant. Pente d'une montagne ou d'une vallée.

Vignoble. Un vignoble, c'est une étendue de terre qui est cultivée en vigne.

Ville. Importante agglomération dont les habitants ne vivent pas de l'agriculture.

Z

Zone. Aire, étendue de terrain.

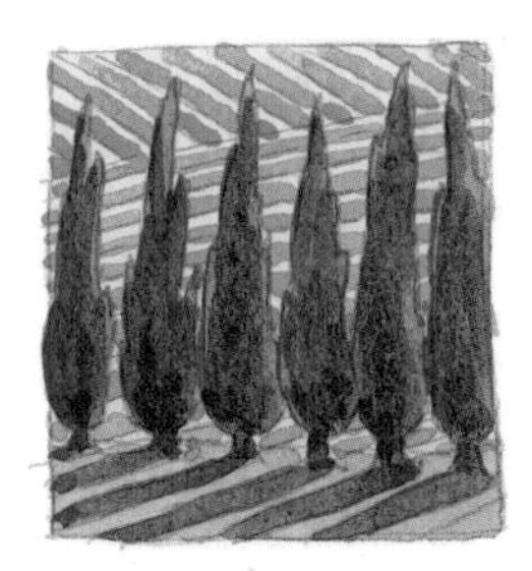

La France expliquée aux enfants

Merci à Jacques Scheibling, géographe et professeur honoraire de khâgne, pour sa précieuse collaboration.

Direction artistique : Elisabeth Cohat
Maquette : David Alazraki
Couverture : Raymond Stoffel
Edition et coordination : Anne Blanchard-Marque de Fabrique
Cartographie : Stéphane Girel
Carte en ouverture d'ouvrage : Gallimard/Aubin Leray
Iconographie : William Fischer
Relecture : Quatre Coins Editions, Lorène Bücher
Fabrication : Céline Hallien

Crédits photographiques

p. 9 :
Orangers © Wallis
Vigne à Villedommange © Michel Jolyot/Réa
p. 10 :
Récolte des cerises, Céret © Nicolas Hautemanière/Scope
Récolte des artichauts, Saint-Pol-de-Léon © Patrick Léger/Gallimard
p. 15 :
Massif du Vercors © Philippe Roy/Hoa Qui
Plateau de Millevaches © Frédéric Lherpinière/Francedias.com
Bergers et moutons, Aveyron © Sylvain Grandadam/Hoa Qui
p. 34 :
Estuaire de la Seine © Pierre Gleizes/Réa
Estuaire de la Loire © Daniel Joubert/Réa
Belem et pont d'Aquitaine © Philippe Roy/Hoa Qui
p. 40 :
Forêt de Brotonne © Jacques Guillard/Scope
Forêt de Brocéliande, le chêne des Hindres
© François Le Divenah/Photononstop
Forêt de Fontainebleau, Barbizon © Jacques Guillard/Scope
p. 41 :
Forêt de Joux © T. Petit/Francedias.com
Forêt de Tronçais © Richard Damoret/Réa
Massif des Maures © Jacques Guillard/Scope

ISBN: 2-07-055619-0

N° d'édition: 137308
Loi n° 49-956 du 16 juillet 1949
sur les publications destinées à la jeunesse
Dépôt légal : avril 2005
1er dépôt légal : septembre 2003
Photogravure : PAT GARET'ASSOCIÉES
Imprimé en France par POLLINA
85400 Luçon - n° L96625